大恋愛

The Girls & Boys of Integrity

巻頭言　愛を信じ、フェミニズムから逃げない

文芸誌『海響』、一号のテーマは「大恋愛」。大恋愛、大げさな言葉だ。ただの恋愛ではなく「大」がついている。少し滑稽ですらある。切実さとユーモアが同居している感じが、今の自分の気分に合っていると思った。

自分はなぜ文学が好きなのか。何年も飽きずによく読んだり書いたり続けていると思う。私はたぶん、根本的に、愛したり愛されたりすることにしか興味がないのだ。人を愛することの喜び、そのときめきを何度でも知るために、私はページをめくってきた。

新しい本を作ろうと思ったとき、まずはこのことについてまとめておきたいと思った。すなわち愛にまつわる物事をできるだけ広く書き留めておくこと。

また本書の目的はもう一つある。それはフェミニズムだ。

二〇一九年、『かわいいウルフ』という本を出版した。作家ヴァージニア・ウルフを「かわいい」という切り口から紹介したこの本は、編者の予想以上に広がった。それ自体は幸せなことだが、懸念していることがひとつある。フェミニズムから意図的に逃げたことだ。「かわいいウルフ」では、ウルフを「フェミニスト」「レズビアン」といった既存のイメージから自由にしたいという思いで、あえてフェミニズムという言葉を使わなかった。いや、不勉強が怖くて言及を躊躇（ちゅうちょ）した、という方が正しい。しかし結果的に、読者にはフェ

ミニズム的関心から受け入れられていったように思う。書店ではフェミニズム文学や女性関連の書籍と一緒に展開していただくことが多かったし、メディアでの紹介のされ方も然りだった。率直に言って私は自分を恥じた。フェミニズムと向き合うことを回避した本が、フェミニズム文学の文脈で売れてしまっている。これは由々しきことだ。

今、私は向き合わなくてはならない。ヴァージニア・ウルフという作家が、いかにフェミニズムにとって重要で、大切にされているのかを。ウルフだけではない。親しんできた女性の書き手たちとその作品について、そういった視点から改めて読み直す必要があると感じた。

こんな思いから本書の特集「大恋愛」はスタートした。

女性たちが書いたテクストを読み、その言葉と向き合うこと。私は私のフェミニズムをここから始めようと思う。彼女たちが表現しようとした愛を観察すること。そして今を生きる私たちで、愛について問うこと。

「一号」と打ち出してはいるものの、続くかわからない雑誌なのだから、今やりたいことをやらなければならない。大恋愛。これが、『海響』が二〇二〇年に問うテーマだ。読者も一緒になって、愛とフェミニズムについて考えるきっかけをつかんでもらえたら、うれしい。

二〇二〇年五月　小澤みゆき

海響 一号

創作

特集 大恋愛

小澤みゆきと一三人の恋するひとたち

大恋愛

評論 随筆

ひとひら

シモーヌ・ヴェイユ『重力と恩寵』によせて

永山源

護符として小口をなぞる『重力と恩寵』皮膚のごとき手触り

葡萄樹の梢（うれ）ゆれるのを畏れつつ園丁、白い沈没を見よ

髪に載る雪ひとひらの永遠が融けてゆく　ことぶれの彼岸で

花蜜のかすかな苦味けさもまた死を内臓の形に撓めて

へだてなく廃屋の蔦ひからせて真空にたましい吊るされる

ストリング・カルテット

ヴァージニア・ウルフ「弦楽四重奏団」によせて

小澤みゆき

階段を降りる途中からたばこの匂いが漂っていて、仄暗い明かりに剥げたポスターが所狭しと貼られていた。微妙な段差を、夢子はつまずかないように気をつけながら下り、受付で名前を告げた。

「お目当てのバンドはなんですか?」

　女性がリストにチェックを付けながら尋ねた。

「ストリング・カルテットです」

「一五〇〇円プラスドリンク代で二〇〇〇円です」

　千円札を二枚渡し、夢子はかわりに銀色のコインを受け取った。軽くて小さくておもちゃみたいで、というかおもちゃで、これを手放したらもう戻ることはできない。中に入り、おもちゃと引き換えに金色の液体が入った瓶を手に入れた。

　重い扉をガチャリと押しのけると、ものすごい低音が足元から心臓に迫ってきて、いつだってぎょっとしてしまう。暴力的だと思う。そのあとに青い光と赤い光が交互にステージを照らし、パラパラとした人影が右腕を上げて揺れているのが目に入ってきた。直人のバンドの一つ前の彼らは、二〇〇〇年代邦楽ロックのコピー曲を演奏していた。

　夢子が直人の部屋に通うようになったのは一年半くらい前で、出会ったのはツイッターだった。共通のフォロワーが何人かいて、会ったことはないけれどよくエアリプでつるんでいた。なんとなくフォローしあう関係が三年程続いていた。ライブに来ませんか、とDMが来たときがどんな季節だったか夢子はもう思い出せないでいる。そして、いつ最後に寝たのかも。

　大して冷えてもいないビールを飲みながら、ああソフトドリンクにすればよかったと思いながら、後ろのほうで棒立ちになってひたすら瓶に口をつける。前の方の客はあいもかわらずサビで腕を上げ、人差し指を突き出して振っていた。

「次が最後の曲です。ありがとうございました」ボーカルがぶっきらぼうにそう告げると、イントロでバスドラムがどっつー、どっつー、と四つ打ちの音を鳴らし始め、そこにベースとギターが乗っかってきた。パワーコードバリバリのギターリフのその曲は、夢子が中学生の頃大流行していた。懐かしーなー、と夢子がちびちび飲んでいると、左後ろから、ゆめちゃん、と声をかけられた。

「あれ、来てくれたんだ」妙に明るい調子で直人が言った。

「用事の時間が変わって、来れることになって。今さっき来たばっかで」

嘘。このために時間をずらしたのだ。

「そっか。それ一口もらっていい?」

夢子が黙って差し出すと、直人はそれを飲み込んだ。喉筋が照明に照らされて青く見えた。

「次だね。楽しみにしてる」

「うん、ありがと。じゃあとで」

そう言うと直人はあの重い扉を押して出ていった。その後ろ姿を見て、夢子は自分の勝手さに今さら涙が出そうになった。

夢子には好きな人がいる。それは彼のことじゃない。

夢子には好きな人がいた。彼といっしょにいつまでもいられたら、どんなによかっただろう。

そんなことを考えているうちに演奏は終わり、フロアが明るく照らされた。手持ち無沙汰すぎて二杯目を飲もうかと考えたがやめて、スマホを取り出す。ツイッターの通知が来ている。「naoquartetさんがいいねしました」朝何気なく書いた、洗濯物の乾きが悪いという趣旨のツイートだった。一瞬、いま、アンフォローしてしまおうかと悩んだけれど、流石にそれは残酷すぎると思いなおし、ここ数時間のタイムラインをさかのぼっているうちに、再び照明が暗くなった。

「こんばんは、ストリング・カルテットです」

ひゅー、という声と拍手がぱちぱちと上がった。直人は向かって左手でベースを抱え、何気なく音を鳴らした。

「今日は最後までよろしく」

そうギター・ボーカルが告げると、ドラムの人のいち、にい、さん、のカウントともに轟音が鳴り響いた。歪みに歪んだギターが火車のように音を撒き散らし、その下を直人のベースが這うように轟いた。かと思うとギターはクリーンな音でアルペジオを弾き始め、そこにボーカルの、お世辞にもうまいとは言えない英語詞の歌が重なった。

ストリング・カルテット、というクラシックなバンド名とは裏腹に、やはり直人たちも数年前に流行ったメロコアバンドのコピーをしていた。夢子も何度か本家のライブに行ったことがある。最近は活動休止してしまって、その活動は半ば伝説化されていた。

ライブは、すばらしかった。エイトビートの上をギターは狂ったような歪を響かせ、直人の太いベースは流れるようにそれを支えた。曲に合わせて激しく彼らは動き、サビに入るたびフロアの観客は腕を上げた。照明は右に左に赤く彼らを照らして、ボーカルはメロディアスに歌い上げていた。その様子を、夢子は後ろで、微動だにせず見ていた。直人だけを、目撃していた。

ライブが終わって外に出ると、バンドメンバーが様々な友人知人に囲まれて話していた。直人はありがとう! おー久しぶりじゃん! と言いながら二、三人の男女のグループに囲まれていた。しばらく夢子が立っているとこちらに気づき、ちょっとごめん、と言って近づいてきた。

「ありがとう。どうだった?」

「よかったよ。Space Sonic はやっぱりかっこいいね」

「あれね、いいよね。」

一瞬の沈黙が割り込んできた。

「もう、帰るの」うん、と夢子はうなづいた。そして直人の目を見つめて、楽しかった、またね、と発語した。

「もう行くね。バイバイ」

そういって手をひらひらさせて夢子は踵を返した。不自然なほど大股で外に出て、たったったった、と階段を登り外に出た。

もう二度と彼にDMすることはないだろう。もう二度と彼のベースを聴くことはないし、二度とリプライすることもないだろう。ひっそりとアンフォローして、わたしはすべてをうやむやにしてしまうのだ。だから泣くのはあまりにも傲慢だ。失うのは、わたしではなくて彼なのだ。

階段を登りきって、後ろを振り返る。黒板にチョークで「今日の出演バンド」と書かれている。黄色い文字で書かれたそのバンド名をしばらく見つめてから、夢子は夜の静かな音の中へ帰っていった。


〈了〉

「誰も気づかないうちに
火が付いた」
BTS現象の真相
好評につき
大重版!
BTS
THE REVIEW
BTSを読む
『BTSを読む なぜ世界を夢中にさせるのか』(柏書房)

古風な恋の物語

甘木零

私たちがおばあちゃんの家で暮らすようになったのは、姉の家出計画がきっかけです。姉は母の結婚に賛成しましたが、転校することは嫌がりました。

「ゼッキョ！」

絶叫と言いながら叫ぶなんて中学生はおかしい。そう思ったけどその場では言えませんでした。だって姉の漕ぐ自転車の荷台に乗った私は、左手で姉にしがみつきながら右手で懐中電灯を照らすのに懸命でしたから。姉の漕ぐ錆びた自転車は二人乗りだとダイナモが重くて進まず、姉は無灯火で走ろうとしたのですが、私は夜の外出に用心して懐中電灯を持っていたのです。後で思い出話をしたとき、「違う。ゼッキョはゼッキョーじゃない」そう言われましたが、やっぱり中学生はおかしい気がします。

私も来年中学生になるのですが。

おばあちゃんの家は湖のそば。たくさんの木に囲まれています。まるで森の中のようで、音楽の授業で「静かな湖畔の森のかげから」と歌った時にはおばあちゃんの家のことだと思いました。

その家に、私の祖母はもう一人のお年寄り「ゆきさん」と住んでいます。ゆきさんは祖父の「にごうさん」だった人で、でも祖父より祖母と仲良しだから祖父が亡くなってからずっといっしょに暮らしているのです。

私も姉もゆきさんが好きです。でも母はゆきさんが嫌い。「それは当然だとは思うよね」姉が言っていたから当然なのでしょう。

湖畔の森のお屋敷に向かう道は街灯にも黒い点を播いたように虫が集まって、自転車は光の真下を避けてよろよろと曲がりました。閉じた商店の前を過ぎるときにはシャッターがカタカタ音を立てた。湖に近づくと建物がなくなって蛙の声だけ。それは降るように響きわたって私を包みました。

私たちはほとんど黙っていましたが、信号待ちでは短い会話をしました。

「おばあちゃん、夜にいきなり行ったら嫌がらない？」

「行ってもいいですかなんて聞いたらそのほうが断られるよ。もう遅いから追い返せない」

「ずるくない？」

「ずるいね」

即座に答えた姉を、なぜか偉いと思いました。

そうしておばあちゃんのお屋敷に着いてから姉が言った言葉はもっとずるかった。木立の中を並んで歩く姉は始め自転車を両手で引いていたのですが、私が姉の肘を掴んで離さなかったせいでしょう、自転車を木のそばに置きました。そして私から懐中電灯を取り、空いた手で私の手を握ってくれました。

「おばあちゃん、泊めてくれるかな」

やっぱり追い返されるかもしれないと思っていました。

「断らないと思う」

姉の手はずっとハンドルを握っていたからでしょう、指先がひんやりしていた。

「ゆきさんを同居させている人が、孫は断れないよ」

姉はなんてずるいんだろう。私を安心させるためなら、姉はどんなずるいことでも言うのだと私は知っていました。

そして姉の言った通りになりました。

湖畔のお屋敷は、木立の奥に石を敷いた丸い庭と黒い建物です。初めは木の間の光を外灯だと思っていたのだけれど、近づくと電気の明かりではないとわかりました。

明かりは石庭の中央の窪みにある焚き火でした。焚き火の前にゆきさんが立っていて、おばあちゃんは焚き火を挟んで石に座り込んでいた。

姉は右手の電灯を消しました。

そして私たちは暗い中黙ったまま、炎に照らされるゆきさんを見た。祖母は背中しか見えず、それはただの黒い影で、けれどゆきさんは違った。

それまで何度か会っていたゆきさんは真っ白な髪の庭仕事が好きな人。祖母よりずっと年上なのだそうですが、私には年の違いはわかりませんでした。

「にごうさんって、汚いふりん関係なの？」姉に尋ねたことがあります。

「ああねえ。そんな古いことば言うか、テレビじゃ。でもさ、恋愛って違うみたいよ」

姉は教えてくれました。

「どうもレンアイって、何でもありみたい。誰でも恋するって嘘だと思うけどさ。恋愛には向き不向きがあると思うんだ。向いてる人には一番大切なことみたいだから、ソンチョーしなきゃ。ゆきさん汚いとか思わないでしょ」

姉は恋愛に向いてないらしいです。お母さんは向いてる人なのでしょうか。

「ゆきさん綺麗だよね。年取ったらなんか顔が綺麗とか美人って言わないみたいだけど」

「あーゆーのはね、身ぎれいっていうんだよ。美人より上等」

そう姉と話したこともあるけれど、この時のゆきさんはきれいとは違った。

体をこちらに向けて炎に照らされるゆきさんは、薄いショールをかけた片手を胸に当てて、もう片手は本を手にしていました。炎の光に、立っている体も顔も、きつく力をこめているのに柔らかくうねって見えました。

そして朗読の声も。ひび割れたように濁った声は何を言っているか聞きとれませんでしたが、腕を下ろし顎を上げて言った最後の一節は抑揚の豊かな響きが強く、そして柔らかく耳に届きました。

——**すべては意味のない、よしなしごとだったのでございます。**

それから本を閉じて、大きく全身をかがめるお辞儀はダンスする人のみぶりでした。

祖母が拍手しました。

ゆきさんは祖母に何か言おうとしたのでしょう、身を起こして首を巡らしたのですが、そこで私たちに気づきました。

「いらっしゃい。こんばんわー、」ゆきさんの声は朗読よりも大きかった。

「こんばんは」「こんばんは」私たちの声は小さかった。

振り返った祖母は「あらあ、」と言ったきり。ただのんびりとして見えました。

「もう家に戻りましょう」大儀そうに石の床から立ち上がると、バケツの水をざざっと掛けて、

「中にお入り」その言葉は落ち着き払って聞こえました。「お風呂沸いてるよ」

　私たちが手をつないだまま玄関に向かう間、本を抱えるゆきさんは靴で焚き火の跡を踏み消していました。

　そうして私たちはこの家の子になりました。


　しばらく祖母の家にいれば気が済むだろうと母は思ったようですが、私も姉もこの家に飽きることはありませんでした。姉は長い自転車通学をものともせず梅雨も乗り切ったし、私は祖母やゆきさんに車で送られて登校しました。

　学校のない日の朝にはゆきさんと森を歩いて、ゆきさんが剪定鋏であちこち切り取ったり草花を確認したりする合間に食べられる草や実を採ったりしました。木の実は野鳥が真っ先に食べるのだけれど、それでも葉裏に隠れてたくさん残っているのです。探しながらいろんな話もした。はじめの夜に朗読していた本が「サド公爵夫人」というお芝居だということも教えてもらって、ゆきさんの「一番好きなホン」なのだと聞きました。

　橙色に透き通る木苺のつぶつぶはほんのりと甘く、真っ赤な茱萸は渋味が舌に残り、黒いベリーは指を紫に染めました。中でも小さな池の周りに生えるクレソンが私は好きになりました。柔らかいのに強い茎を噛むと他の野菜とは違う、すうっとするような辛味がある。匂いまですうっとして、食べ終えると口には青臭さの名残も残さない。食べ終えると豊かな味も匂いも消えてしまって、ただ好きだという気持ちだけが残る水辺の緑。私は学校のある日も毎朝のように摘み取って生のままかじりました。

　洗濯物を干したり畳んだりお皿を洗ったり、お風呂を沸かしたり本も読んだし宿題もした。私の仕事はほんの少しだったけれど、四人で互いに助け合う暮らし。それは窮屈ではなく、自分が森で餌を探す小動物になったようで、私は自由でした。

　親切なゆきさんと違って、祖母はわざとそっけなく振舞っていました。気が済んだら親元を恋しがって帰るだろうと思っていたようです。でも姉が終業式の日に言った言葉が全部を変えました。

　姉は通信簿を前に置き両手をついて頼んだのです。

「これからもよろしくお願いします」

　それは祖母には意外なことだったのでしょう。

「お母さんが嫌い？」

　頭を上げた姉はまっすぐに祖母を見て、

「お母さんもあの人も嫌いじゃありません。でもここに置いてください」

「どんな理由があるの？」

「今の学校が好きだから。私を信じて置いてください」

　それは本当のことでした。姉は中学校の吹奏楽部に打ち込んでいて、二学期からは部長になることが決まっていました。

「それだけ？」「それだけです」

　それは嘘だったかもしれません。でも姉は決断していて、私は母より姉を頼りにしていた。それは不思議な感覚で、お母さんは離れていてもお母さんだという意味では母を頼りにしていました。でも姉と離れたらこの人は違ってしまうと思っていた。だからこそ頼りたかったのです。

　心の中に生まれることはたくさんありすぎて自分のことさえわからない。けれど湖畔のお屋敷で四人は家族になりました。

「隠しててもしょうがないね」

　幾日かして、祖母とお風呂場掃除をしていた私はゆきさんについて教えられました。姉は部活動で家にいず、ゆきさんは茂りすぎた森の手入れに

出ていた。

教えられたことは三つでした。そのひとつ、ゆきさんが祖父の「おめかけさん」だったことはとっくに知っていました。

それからふたつ目が私には一番重要なことでした。ゆきさんはこの家に来るまでは俳優をしていたのだということ。

「舞台で、そりゃあ素敵だった」

劇団をやめた時に祖父のお墓参りに来たゆきさんに、一緒に住もうと誘ったのだそうです。

カビ取りスプレーをお風呂の蓋に吹き付けながら、祖母の声は嬉しそうでした。私は洗い場のモザイクタイルにたわしを使いながら、(おばあちゃんもゆきさんに同じこと言ったのかな)そう思いました。姉が家出を決めて私を誘ったとき「一緒にいてくれたら嬉しいから」と言ったのです。母は私にそれを言わなかった。

それから続いたみっつ目がゆきさんの本当の秘密だったのですが、それは私にはどうでもいいことでした。

夜になって、並べた布団の中から姉に三つの話をしました。

「全部知ってた?」

「うん」

「そっか」

「隠してたって怒んないの?」

「人の秘密だからでしょ? それにもう知ってるもん」

「あんた、偉いねえ。世の中さ、自分の秘密をばらされると怒るのに他人の秘密を教えないと怒る子ばっかだよ」

「それ、へん。むじゅん」

「変だよほんと」

中学生は変なんだと思いながら眠りました。

それから私たちは何度も焚き火をするようになりました。日ざかりは暑いから夜の焚き火。花火もしたしマシュマロも焼いた。焦げた中がとろける熱いマシュマロを一番喜んだのは祖母で、細い枝からゆっくり齧りとりため息をつきながら食べた。

「ね、おいしいでしょ」

焼きマシュマロを子供のいたずらだと思っていたらしい祖母はうなずいて応えた。

「知らないことってあるものねえ」

私は祖母を喜ばせる自信がついて、贈り物をあげることにしました。

風の強い日は焚き火をしないのだけれど、何日か過ぎて贈り物にちょうどいい日がやってきました。蒸し暑くて一日中雲が動かない天気は夕方まで続き、私は姉と連れ立って湖に行き、目の詰まった蓋付き柳籠にプレゼントを入れた。家に戻った頃はすっかり暗く、私たちは焚き火の前に籠を開けようと思っていたのですが、森を抜けて石庭に戻った時にはもう祖母が焚き火を仕掛けていました。

揉んだ紙切れから枯れ枝に火が移るのを世話していた祖母は「おかえりなさい」とだけ言い、私と姉は「ただいま」だけ。そのあとは何も言わず火を囲みました。炎に赤く照らされて、ぱちぱちと爆ぜる音。そのうち遠くから低い音が響きだした。

「からかみなり」

祖母が言うなり閃光がひらめいた。立て続けに何度か落雷の音と光。でも雨はつぶのひとつも無い。焚き火を揺らす風もなかった。私と姉のほうが籠の中と空模様を心配していたのに祖母は上を見上げて動きません。けれど外にいるのはやはりおかしなことだったのでしょう。

「いつまで家に入らないの」

風呂上がりのゆきさんが迎えに来たのです。ゆったりとした寝巻きで髪は濡れたまま。肩にバスタオルをかけていた。

それを合図のように、あたりはいっしゅん明るくなり、まぢかく轟音が鳴り渡って、大粒の雨が落ちてきた。

　立ち上がった私は籠を抱えて玄関の軒下に走りました。姉とゆきさんは祖母を手助けして立ち上がらせ三人いっしょに歩いて来た。玄関前でみな立ち止まり祖母と姉はゆきさんのバスタオルの両はじを持ってそれぞれの体を拭いました。ゆきさんはそれを見ながら、

「みんな無鉄砲なんだから」つぶやいた。それはちっとも嫌そうではなくて、まるで羨むようでした。

「おもしろかったぁ」姉は笑っていた。

　祖母も面白がる顔だったのですが、

「怖かった?」私にたずねました。

　雨は土のにおいと火が消えた煙のにおいを漂わせ、屋根を叩く雨音の中で蛙や夜蝉の声は消えています。玄関前の軒は母と住んだアパートの子供部屋ほど広かったのですが、四人はドアの前で体温が伝わるほど寄り添って、それが楽しかった。安全な家の中に入りたくなかった。

「怖いこと好き」私はそう答えました。

　祖母も姉も頷く顔でしたが、ゆきさんはちょっと面食らって、それから小さく笑ってしまった。私はここで贈り物をしようと思いました。

籠の留め金を外して開いた。

　ふわふわと、蛍が浮かぶように飛びました。弱い光はゆらめくようで、呼吸のように点滅します。

　十一匹の蛍。それは人間なんか関係ないようにあたりを浮遊して、光の軌跡に囲まれた私たちはうっとりと見つめました。

　そのうち外の土砂降りは降り始めた時と同じようにいきなり止んで、あたりに蛙の声が戻ってきました。蛍は自由になって遠くにただよい去った。

　最後の一匹を見届けて、祖母と姉は中に入りました。私とゆきさんが残った。

「あのね、ゆきさん」

聞いてみたいことがありました。

「おじいちゃんとおばあちゃん、どっちが好きだった」

　私の質問はあまりに唐突だったと思います。そして予想していた答えは
「どっちも」でした。けれどバスタオルをショールのように腕であしらったゆきさんは、にこっと笑うと肩に顎を乗せるようにして私を見下ろし、

「ひみつ」

　そしてドアをくぐりました。


　私にとっての物語はここまでです。私は物語が好き。なぜそんなことが起こるのか不思議で仕方ない、けれどそうなるのだと決まっているような物語。

　ゆきさんが亡くなったことは物語の外の出来事という気がします。亡くなったゆきさんは肉親という人が引き取って私はお葬式にも出ませんでした。ただお葬式の前の日、姉が新聞にゆきさんの死亡記事を見つけました。太い字は「昭和の新劇女形逝く」「新派最後の女形・舞台の名花」そう書かれていた。

　その三つ目の秘密は私にはどうでもいいこと。私は新聞の小さな舞台写真より、ずっと強くて柔らかな、綺麗というより上等な人を知っています。私はその人のことを何も知らないのに知っている気がする。

　知らない恋が確かにあると私は知っていて、それは私には訪れないかもしれない気持ち。それは私の未来に訪れるのかもしれない、古い古い物語。


〈了〉

けだもの

太田知也

――ボニー&クライドと脚韻を踏むポリー&ミートのカップルに捧ぐ――

*

「どこか遠くへ行きたいの」千枝子（ちえこ）はそう言った。「ここではない、どこかへ」

つまるところ、以下につづく物語は、恋に恋する千枝子女史がいかなる仕方でぼくのもとを過ぎ去って行ったかをめぐって書かれることになる。こんな要約で満足してしまえる向きには、ここで読むのを止してもらって構わない。

「あなた、連れて行ってくださらない?」

千枝子はそう問い、そう問われたときのぼくはすでに、恋に恋する女史に恋していた。ことの起こりからして、実る見込みのない恋だった。恋される恋そのものに、恋する男が敵うはずない。

*

千枝子はいつも人外に恋慕した。あるときの彼女は人魚に恋し、あるときは一角獣に、あるときは吸血鬼に恋した。ゼウスなんていうときもあった。どうしろというのだろう。

ときに応じて対象は変わるものの、人外という点においては共通していた。だから周りの男も女も、みな彼女の気を惹く一心で、さまざまな人外たらんと目指し努めた。じつに多種多様な人外ワナビーたちが千枝子を取り巻いていた。

「言ってみれば、人外（モンスター）プロムの競争なんだ、あれは」比喩めかして、友人はまとめた。「だれが彼女を舞踏会（プロムナード）に誘い出せるか」

そのじつ、彼はぼくの友人のうちもっとも切れる男だった。と同時に、かつて千枝子にアプローチした結果、無惨にふられた男でもあった。だからぼくは訊ねた。

「ビギナに向けて、教訓はあるかい?」

切れ者は即答した。

「とにかく徹底することだ」

徹底。そのことばを、ぼくは脳みそに刷りこんだ。ぼくは真に受けやすい性質（たち）なのだ。

「そうわかっていて」ぼくは当然の疑問を口にした。「なぜ失敗した?」

「行き先はわかっても」と彼は答えた。ひどく抽象的に話すのがこの男の特徴だった。「行き方がわからない」

引退後のボクサーみたいな声音だった。

＊

ぼくと出会った頃の彼女のトレンドは、もっぱらのところ妖精であった。必然、クラス中のだれもが妖精（ピクシー）になろうとした。

ある者はティンカーベルに扮した。緑色スパンコールのレオタードをまとってひらひら踊り、求愛した。

しかし千枝子は拒絶した。

「そういうことじゃないの」と彼女は言った。それはそうだろう、とぼくも思った。すがたかたちの問題ではないのだ、とそのときだれもが理解した。つづけて彼女は、

「とおりいっぺんの常套（クリシェ）に――妖精らしさのクリシェに、安住してはいけないと思う」

その本質において、妖精性をおのが身に刻むこと、これである。


そしてひとつの思いつき。

〝マニック・ピクシー・ドリーム・ガール〟という言葉がある。映画文化になじみのある向きには周知のことかもしれないけれども、話の行きがかり上、解説しておく。

マニック・ピクシー・ドリーム・ガールとは、識者によれば、

「文化系の男子にとって都合のいい究極のガールフレンドである」

そんな彼女は、趣味においては文化系男子が好む音楽や映画や小説などに通じており、性格においては気まぐれなことが多いとされる。こうしたキャラクターの性別を入れ替えたバージョンとして、〝マニック・ピクシー・ドリーム・ボーイ〟なる言葉もある。

ぼくは確信した。

マニック・ピクシー・ドリーム・ボーイこそ、千枝子女史もとめるところの妖精性である。そう信じて疑わなかった。ならばマニック・ピクシー・ドリーム・ボーイをおのが身に刻むこと、すなわち、千枝子にとってどこまでも都合のよい男になること、これである。

＊

図書室へ向かった。ぼくは千枝子の貸し出し履歴を調査した。調査と言えば聞こえはよいが、そのじつ図書カードを盗み見ただけだった。司書係に袖の下を掴ませたのだ。あっけないほど簡単だった。

そうして彼女の読書遍歴を、読んでたどった。ボルヘスの『幻獣図鑑』はそれで知った。その背表紙を探すさなかに見つけた『幻影城』はただ面白いだけだった。ビアスを経て芥川を読んだ。ビアスの『悪魔の辞典』を読んだ。ボルヘス経由で澁澤を読んだ。興が乗り、『噴版　悪魔の辞典』も読んだ。

『噴版』のある項目から、一節を引く。

いわく、〝けだもの〟とは、

「それを発することによって、まだ、完全にけだものになりきっていない相手を、確実にけだものにしてしまうことば」

＊

千枝子さん。そう呼びかけて、

「ぼくは、きみだけの妖精になろうとした。たくさん本も読んだんだ――

それで、わかった」十分に対策した口頭試問の体で言った。「ぼくを〝けだもの〟にしてくれ。ぼくをそう呼んでくれ」

　さいごに駄目押しの論拠を、きみに。

「そうすれば、きみを遠くへ連れて行ける気がするんだ」

「あなたがそうなったとして」千枝子は刺すように問うた。「そのとき、わたしはいったいなにになれるの?」

「きみはきみのままでいい」

「ならば話は仕舞いね」つまらなそうに千枝子は応じた。不出来な生徒に不可をくだす教官の残酷さで、

「美女と野獣の寓話では、とてもわたしにつり合わない」

妖精と獣物(けだもの)の寓話では、とても千枝子につり合わない。

＊

　英語の授業中のことだ。

「映画の端役に関して使われる〝エキストラ〟ってカタカナ語は、存外に損をしている——そうは思いませんか」凛とした然で、千枝子は教師に迫った。「主役とくらべて、いささか劣った副次的なニュアンスを帯びてしまいます」

　獅子に歯向かう豹もかくやの圧であった。

　つづけて彼女は、魅力的な語群を並べてみせた。すばらしく魅力的な語群だった。

「エクストラオーディナリー——超常な」

「エクストラヴァガント——過度な」

「エクストラジュディシャル——法外の」

「エクストラテレストリアル——地球圏外の」

　英語教師とその教え子たちは、うっとりと聞き惚れている。

「わけても、エクストラはエクストリームと同じ語根をもつのです」

　ぼくらはみな端役の心持ちで聞いていた。

「極限、と」

＊

　聞くかぎりでは、と前置いたうえで、

「彼女にとっての遠さとは」と友人は定義した。「埒外のことだ。なんらか画定された範囲の外を指す、埒外のことだ」

　さすがの切れ者だ。

「だったらぼくは外に出続けなけりゃならない」ぼくは当然の帰結を導いた。彼が弄する抽象に、具体的な出口を与えるための帰結だった。

「だが、厄介なことに」友人はブレザーの襟元を正しつつ言った。プレイリードッグが身震いするみたくの挙措だった。「毎日を脱獄に賭ける囚人はいない。原理的に存在しない」なにかを惜しむようなまなざしだった。

「脱獄はいつも一度きり。そうだね?」

　そのとおりだ、と彼は応じた。

「塀の外で逃げつつ生きて外部を失くすか、牢の内へ戻って刑期を伸ばすか。ふたつにひとつだ」

　具体性はもはや望むべくもなかったが、ぼくは訊いた。

「どうすりゃいい?」

　切れ者は即答した。

「何度でも捕まることだ」

　そのたびごとに一度かぎりの捕縄と投獄。エヴリー・シングル・エントラップメント。

　相談すべきでなかったという気がいまではする。

＊

何度でも同じ相手を籠絡する(エントラップメント)には、どうしたらいい？

＊

幸いなことに、ぼくは犯罪(クライム)映画のフリークだった。

ところで、英語で言う〝フリークス〟は好事家という意味のほかに、怪物の意味ももつ。英語教師の受け売りだ。自己肯定感を強めたぼくは、いきおい込んでクライムを観るにふけった。

得られた教訓その一――すみやかに投獄されるには、窃盗、殺人、誘拐その他の重罪を要する。

得られた教訓その二――獄中での懲罰として与えられることになる堅牢な独房は、そこからの脱獄に多大な困難をよびこむ。ほとんど不可能なほどに。

得られた教訓その三――したがって、獄中にあっては模範囚たれ。

ひとつの皮肉がここにある。

ひとたび模範的な市民であることを辞めたうえでなお、ぼくは模範的な囚人にならねばならない。そこからはみ出すために一度は範囲が必要であるという皮肉と、それは似ていた。おどろくべき相似だった。

なんにせよ、ぼくは千枝子を誘拐する。そう決めた。

＊

ランチ後の休憩時間、図書室に千枝子を呼び出した。いきおいのままに彼女の片腕をつかんで駆け出した。彼女の身体は腕と全身とのあいだにどんな抵抗も備えてないようだった。ただ「行くのね？」とだけ彼女は訊いた。頷きこそすれ、それには応じず腕を曳くままに曳き、ぼくらは校舎を飛び出した。真っ昼間の校庭には青空が晴れわたり、前日降った雨がのこした水たまりによく映えていた。申し分のない快晴だった。駐輪場にはおりよく二台の自転車が打ち捨てられていた。が、車(クルマ)でなければいけない。そう思った。守衛の眼を盗み、校門をくぐり、車道に出た。そこでようやく彼女の腕をぼくは離した。とおりかかった乗用車のまえに出て、ぼくは叫んだ。「急病なんです――」われながら、みごとなまでの叫びっぷりだった。「急病なんです――」意図したとおりになるまでくりかえし絶叫を重ねた。「急病なんです――」完全に戸惑った初老の男が車を降りて、ぼくの傍に近づいてきた。ぼくは男を突きとばし、みずから乗り込んだ。カーステレオではビーチボーイズがかかっていた。ペダルを踏みこむと、前進した。免許はないが、映画の受け売りでどうにかなった。ぼくはなんでも受け売りなんだ。車を進め、助手席を千枝子の側につける。彼女はドアを開く。そして芝居がかったふうで言う。

「連れて行ってくださらない？」少しく愉しげだった。多大にかわいらしげでもあった。

「もちろんさ」ぼくは請け負った。「きみとぼくの逃走劇だ――まるでボニーとクライドみたいなね」

用意されていたようなセリフが口をついた。

そこで千枝子は、一瞬にして顔を青ざめさせた。全身が凍りついたみたいな様子だった。車も当然、停めるほかない。背後からは車の持ち主が走り寄ってきていた。それには構わず彼女は言った。

「逃走劇のクリシェに安住しては、いけないと思う」

ぼくは初めて彼女に反論する。

「待ってくれ。それはちがう」ぼくにはわかる。わかったんだ。「常套があるから、その外があるから」塀があるから、脱獄できるんだ。

彼女はちょっと考えるように首を傾げた。時間がない。ぼくはさらにつづけた。

「一度くらいは、のってみなよ」

「でも、いまじゃないようね」

そしてドアの閉じる音がした。彼女は身を引き、ぼくだけが車中に取りのこされた。

たぶん、彼女なりの徹底がそこにはあった。恋に恋し尽くすこと――。

ふられたことに加えてもうひとつ、誤算だったことがある。

ぼくはどうやら、恋に恋する者にしか恋することができない。そういう残念な種類の人間であるらしかった。たとえば、恋に恋する者にしか恋することのできぬ男にだけ恋する者がいるのかどうか、ぼくは知らない。

いずれにせよ、とぼくは結論づける。

青春の終わりと一生の終わりと、そのどちらが速いか。ぼくはチキンレースをつづけよう。何度でも捕まるためのチキンレースだ。チキンレース・フォア・エヴリー・シングル・エントラップメント――。

小気味よいそのフレーズを口ずさみ、アクセルを踏む。あいかわらずビーチボーイズが鳴っていた。「もっとも近くの遠き場所（ザ・ニアレスト・ファーラウェイ・プレイス）」だ。それは千枝子のことだ。ストリングスをかき消す轟音で、エンジンが猛り狂う。あともどりはできない。

これがぼくの徹底なのだ。

走り去るまえの数瞬、ほんのみじかく叫びが上がった。それは、こんなふうに聴こえた――「けだものー！」――女が男を拒む常套句。

バックミラーには、妖しく笑う千枝子女史が映っていた。

*

たしかなことは、とぼくの話を引きとって、

「一度きりだった」切れ者はそう言った。「たった一度きり、彼女は常套にのってみせた」そして付け加えた。「――見上げた女だ。敵わない」

「そう、だから初めに言ったろう。実るはずなかったって。これは失敗談なんだって」

「それだけでもない」賢者のまなざしだった。「教訓を教えようか?」

「言えよ、ルーザー」ぼくは笑い、賢しらな敗北者を茶化して言った。なにもかも可笑しく思えた。

いつものとおりまじめくさって、

「常套と要約の共通項は」と切れ者はまとめた。「その外にだけ黄金があることだ」

――限界の抽象だった。一般論と、ほとんど区別がつかないほどに。それこそ要約してしまえば、ほぼ一般論そのままだった。

うまい仕掛けだ、とぼくは満足して、

「まあ、そんなところかな」と笑った。


まあ、そんなところだ。

〈了〉


【附記】

本文中の引用はつぎの書籍によりました。
・長谷川町蔵、山崎まどか『ヤング・アダルトU.S.A. ――ポップカルチャーが描く「アメリカの思春期」』DU BOOKS、二〇一五年
・安野光雅、日高敏隆、横田順彌、なだいなだ、別役実『噴版 悪魔の辞典』平凡社、一九九八年
また、献辞の意味を知りたいという奇特な読者へ向けて、つぎの動画をおすすめします。
・「【Monster Prom（モンスター・プロム）Week 1】モンスターに恋してる【日本最速実況】」(https://youtu.be/rgkoHg6AyiU)

(*) 参照:長谷川町蔵、山崎まどか『ヤング・アダルトU.S.A——ポップカルチャーが描く「アメリカの思春期」』DU BOOKS、2015年

夏の冒険

花大猫

まだ自動改札なんてなかった頃の話。

大学生のミキとケンは夏休みに列車旅行に出かけることにした。それも、東京から日本海側の富山まで無賃乗車で渡ろうという不埒な企てである。なぜそんなことを考えついたのかと言えば、二人は貧乏だったからである。目的地が富山である理由は、そこにミキの実家があったからだ。

富山の広い家で一人暮らす母に、明日汽車で帰るからと連絡をした。友達も連れてっていいかと聞いたら、母は快く承知してくれた。あのね彼氏なの、とこっそり言ってみたら、そんなこと分かってると笑い声が聞こえた。

新宿駅東口で待ち合わせして入場券を買い、中央本線に乗って松本まで出る。松本からは大糸線に乗って日本海側の糸魚川へ抜ける。そこで北陸線に乗り換えて富山駅で降り、駅員があまりいない北口から脱出する。

言葉で言うと手軽なものだが、実際には乗り換え六回、待ち合わせを含めて十四時間半かかる行程だった。キセルだから当然、検札のある特急や急行には乗れない。改札を出られないから、途中下車など念頭にない。当日のうちにたどり着かなくてはならない。宿賃がないのだ。更に駅のホームで蕎麦を食べたり、パンを買ったりもしないこととし、めいめい水と食料を持参することにした。ミキが持ってきたのは水筒に詰めた麦茶と塩だけまぶしたおにぎりが四つ。ケンが持ってきたのはパン屋で貰った食パンの耳とコーラの缶一本だった。

別に汽車賃や昼食代までないわけではない。要するに貧乏旅行を楽しむ気分があっただけのことで、若くて健康な者同士が考えそうな暇つぶしといったところだ。

朝六時半に集合するはずだったのに二人揃って寝坊し、出発は九時になった。大丈夫。この時間でも北陸本線の最終の富山行きにギリギリ間に合う。

新宿からしばらくは順調だった。松本で一時間ばかり待ち合わせになったが、その間に昼飯のおにぎりを食べた。それから大糸線に乗って南小谷へ着いた。鉄道は日本アルプスの真っ只中だ。駅のホームで冷たい水道水を詰め直して頼りなさげに鄙びた汽車に乗った。暮れ染めた高山渓谷の絶景をめぐって、ようやく糸魚川へ着いたのが夜の八時だった。

長旅もそう悪くない。ほとんどの列車はガラガラに空いていて、じゃれたりふざけたりしているうちに乗り換え駅に着いてしまった。座りっぱなしでお尻が痛いけど、それもあと三時間ほど。ここから小一時間で直江津に着く。最後の乗り換えが富山直通の鈍行列車。十一時過ぎには着くはずだ。十二時前に家にたどり着くだろう。

浜近い直江津駅のホームは強風がびゅんびゅん吹き抜けて潮と機械油の匂いがした。最後の列車はやっぱりガラ空きだった。ボックスシートに足を投げ出して、ケンの持ってきたパンの耳をかじっていたその時、

「やべぇ、降りよう！」

ケンがいきなりミキの手を引っ張った。

「車掌が来やがった」

確かに連結のドア越しに車掌らしき姿の人が見える。通路に立ち止まって、客と何やら話をしている様子だ。

「切符を見てる？　降りよう！」

ミキも慌ててケンの後ろをついて、車掌がいる方とは反対側に走った。本当にラッキーなことに（と、その時の二人は思った）車掌に追いつかれる前に列車は停車し、二人は前後してホームへ飛び降りた。

赤いテールランプを揺らして列車が走り去ると、辺りが異様に暗くなった。一分後、二人の降りたのは越中宮崎駅であり、まだようやく新潟との県境を越えたばかりであること、ミキの家のある駅までは列車でまだ一時間半もかかる距離であることに気がついた。今去った列車が最終である。

仕方なく二人は線路に降りた。線路脇の雑草の海を横切って、木製の柵を越えれば外界へ出る。一メートルくらいの柵を、ケンが長い脚を持ち上げて身軽に越えて見せた。ミキも真似をして越えたのだが、脚がつっかえて、柵の有刺鉄線で腿からふくらはぎを切ってしまった。それほど痛くもなかったので歩くことにした。こうなったら始発を待って乗り直すしかないが、それまでの間に少しでも歩いて目的地へ近づこうと思ったのだ。

歩くのも悪くない。座り飽きた後のことだ。この季節、月のない闇夜は蒸し暑いものだが、風がよく通う浜辺には関係がない。越中宮崎駅は海岸のすぐそばにあって、二人が歩いている海岸通りから波打ち際までは五十メートルもない。海岸より数メートル高い堤防の道を歩いているのに、波音はほんの足元に聞こえている。サンダル穿きの足が濡れないのが不思議な気がする。時折、波しぶきが頬にかかる。

二人で手を繋いで歩く右側が海、頭の上には夏の星空。左側で星空は急に途切れて深い闇の色になる。目が慣れてくると星影に山の稜線がかろうじて見える。ここの土地は城山という険しい山が海岸線まで迫っている。

ケンはひどい方向オンチで、くっついて歩いていると一緒に迷子になる。この前は渋谷の街中をラブホテルを探して歩いていたら、ホテル街には着かないで、なぜかＮＨＫの前を通って代々木公園に出た。公園のベンチに汗まみれで腰掛けたケンは、まあいいかと笑ってふくれ面のミキをかき抱いた。

今歩いている道はどんな方向オンチにも間違えようがない。北側が海、南は山。西に向かって歩けばミキの生まれ故郷にたどり着く。空を見上げたまま歩いていると、足の裏から地面を踏む感触がどんどん薄れて行く。ケンの指先の体温だけが頼りに思えてくる。このまま朝まで歩いてもいいと思う。

一時間ほど歩いて次の駅に着いた。始発にはまだ時間がある。そこで次の駅まで頑張ってみることにした。

ところが途中まで来て、ミキは突然座り込んでしまった。

どうした？　とケンが尋ねると、ミキは脚が痛くなったと答えた。

「血が出てるみたい」

さっき有刺鉄線で切ったふくらはぎが熱を持ってズキズキ痛む。そこから足首にかけて、血がぬめっている感じがする。

「化膿したらヤバいな」

ケンはミキを道路端の防波堤に座らせた。それから首から懸けていた水筒を外すと、中の水を開けてミキの傷口を洗ってやったが、傷口は脚の裏側で洗いにくいし、水は残り少なかったし、街灯もほとんどない夜中のことで、血糊を洗い落とすまでには至らなかった。何か傷口を縛るものをと探したが、あいにくケンはハンカチを持っていなかった。ミキのでは小さすぎて使い物にならない。ケンの着替えのジーンズやシャツだと大きすぎるし、ミキは家に置いてあるからと衣類は何も持っていない。そこでケンは着ていたTシャツの左袖をビリビリと引き千切った。力を入れすぎて、襟が肩の下まで伸びてしまったがそれには構わず、袖を更に千切り広げてミキの膝をぎゅっと縛ってやった。

次の駅は、とケンは前方に目を凝らしてみた。けれども見えるのは山と海の濃い闇と薄い闇、まばらな街灯のかすかな光だけだ。

痛いかと聞くと、うんと答える。

しょうがない、負ぶってってやるか、とケンは呟いた。


待ちくたびれて眠っていたミキの母の晴子は、夜明け過ぎに玄関を叩く音で目が覚めた。娘の声がしたのでドアを開けた。そして、真っ青な顔をして右膝から下を血みどろに染めた娘を見て仰天した。おまけに、左半分がボロボロに崩れ落ちた汚いTシャツをまとった無精ヒゲだらけの大男がそばに立っている。

驚く母には構わずミキはケンを連れて風呂場へ突進した。そしてさっさとシャワーを使って、二階へ上がって行くと、布団に倒れこむようにして眠ってしまった。

朝の九時過ぎ、ミキはフラフラになって降りてきた。熱を計ったら三十九度もあった。慌てて医者の往診を頼み、電話を切った晴子の耳にケンの高いびきが聞こえてきた。医者が来て傷とは関係ないでしょうと言いながらも傷口を消毒し、後で抗生物質など取りに来るようにと指示している間中、いびきは止まなかった。場所を選ばずどこでも眠れるケンの特技がこの時は仇になった。晴子はケンが夜中にミキを背負って隣の駅まで四キロほど歩いたことを知らない。安心しきって寝ているミキも母親にそんなことは言わない。

とにかく何か食べさせるものでもと台所に立った時、階段がミシミシきしんで、脛毛だらけの長い脚が二本のそのそ降りてきた。スンマセン、便所どこですかと尋ねたむさ苦しい声につい後ずさりをしてしまった。ほどなく聞こえてきたジョロジョロ無遠慮な放尿の音も厭な気がした。晴子は夫と別れてから約二十年、娘と二人だけの静かな生活に慣れていた。これもケンにとっては不運だった。

もしかしてお婿さんになるかもしれない人が来るからと、夕べはちょっとしたごちそうをこしらえ、一緒に呑もうかと旨い地酒の用意もしておいた。今はこんな子のために高い酒を出してやるのは惜しい気がしている。

夕方になってミキの熱も下がり、晴子は詳しい事情を知ったのだが、一度悪い印象を持つとなかなか拭い去ることができない。遅くなるならなるできちんと連絡くらいしたらどうだ、だいたいなんのために馬鹿げたキセル旅行なんてすることがある。学割を使えば汽車賃なんて安いものだ。そんなに金に汚い娘に育てた覚えはない。

次々に出る叱言をミキは笑いながら舌を出して聞いていた。ケンはどこ吹く風とテレビを見ている。別に悪意があってそうしたわけではない。あまり弁の立つ方ではないケンは、何か喋る必要がある時はいつもミキに任せていた。この時もその癖が出たまでのことだったが、晴子はその態度を傲慢だと思った。

夜、ケンが二階で眠ってから、晴子は娘に言った。

「あたし、あの人、あんまり好きじゃない」

どうしてと尋ねた娘に、母は胸に溜めていた不満を一気にぶちまげた。あんたはキセルだろうが、夜中だろうが構わない。自分の家に帰るのだもの。何の遠慮がいるものか。でもあの子にとってはここは初めて訪ねる家のはず。人様の家に来るのに、夜明けに破れたTシャツで押しかけるなんてことがあるものか。ましてや恋人の家なのだから、スーツとまでは行かなくても、それなりにきちんとした格好で手土産でも持参し、お世話になりますの一言くらいあってしかるべきではないか。

ミキはぷっと噴きだした。スーツを着て畏まったケンなど想像もできない。お母さん、何を勘違いしてるの、あたしんち、いつからスーツ着て訪問しなきゃいけないほど立派な家になったわけ？　母親は不機嫌になって、あんたのことを大切に思っているならそのくらいのことはするはずだ、と主張する。娘はバカみたいと言って笑う。母はなおも同じことを繰り返す。

そのうちに娘のほうが癇癪を起こした。

「わかった。じゃ、あたしたち、明日帰る」

晴子は驚いて止めた。

「何言ってるの。昨日来たばかりで、熱も下がったばかりなのに、脚にも怪我をしているのに、お友達にだって会っていないし、親戚の家にも顔をださなくては……」

でもミキは傲然と顎を上げた。

「お母さんがケンのことを気に入らないなら、帰るしかないじゃない」

なおも説得を試みたが、こうなってしまうとミキは絶対に人の言うことなど聞かない。かろうじて帰りはキセル旅行ではなく、昼間の直通バスで東京まで戻ることに同意させた。

翌日の朝、破れていないデニムシャツとジーンズ姿のケンは、

「お世話になりました」

と、ぺこりと頭を下げた。こうして髭を剃ってこざっぱりしてみると、背も高くてなかなかいい男だと晴子は思っていた。二日も経つと多少は冷静さが戻ってきて、無作法と不器用の区別もついてきた。今からでももう二、三日泊まっていってくれないかと思い、娘の顔を見たがそっぽを向かれた。

またいつでもいらっしゃいとケンには言っておいて、晴子はミキにビニールの袋を一つ渡した。

「おにぎり作っておいたから、バスの中で食べなさい。ちゃんとしたお弁当箱に入れてあげたかったんだけど、荷物になって邪魔だと思ったから使い捨てのにしたよ。こういう可愛らしいのがなかなか見つからなくてね。スーパー二軒も回っちゃった」

ミキとケンは駅前ターミナルから長距離バスに乗った。

バスがロータリーを一回りしたところで窓から覗くと、晴子はまだ停留所に立ったままこちらを見ている。遠ざかる故郷の駅舎とそこにたたずむ母の姿を見ていたら、急に悲しくなってみぞおちの辺りがジンと痛んだ。

弁当箱は二つあった。どれも同じ薄緑色の紙パックで、草地で犬や小熊が遊んでいる絵柄だった。開けると海苔の香りがぷんと上がって、綺麗な三角形のおにぎりが三つずつ行儀よく並んでいた。ホイルに包んだ卵焼きや焼き蒲鉾もある。緑色と赤のピックには、うさぎとくまの顔がついていた。

どうせ食べるだけなのだからラップに包むだけで構わないのに、晴子には昔からこういうちょっとしたものにこだわる癖がある。ランドセルに端

布でこしらえた人形を吊るしてくれたり、普通の白い帽子にピンクや水色のレースをあしらってくれたりしたものだ。蒸し暑い朝、娘の食べる弁当の箱を自転車に乗って探し回る母を想像しているうちに、ミキの目に涙が浮かんできた。

ケンはシートを目一杯に倒して、長々と寝そべっていた。

まだ寝る気かとミキは呆れ顔になった。家ではほとんど寝てばかりいたくせにと思った。実際、ケンは疲れていたのだから仕方がない。所在なさに死にそうな思いをした二日間だった。ミキは寝込んでいるし、そばには母親がべったりくっついていて自分の出る幕はないし、何をすることもなく行くところもなく肩身の狭さは限りもない。八方塞がりの身としては、寝ているより他にどうしようもなかったのだが、それだって居心地のよいものではなかった。ようやっと誰に気がねすることもなく眠れるのだ。

三時間後、バスは長岡インターへ入った。ぐうぐう眠ったままのケンをミキは叩き起こして一緒に外へ出た。売店で缶ジュースを買って、植え込みのそばへ腰を下ろしておにぎりを食べた。タネは二種類で塩ジャケと自家製の梅干。来るときにミキが握った塩だけのおにぎりとは大違いだった。

ものの五分でおにぎりを腹に収めたケンは、空になった薄緑色の弁当箱を無造作にそばのゴミ箱へ投げ入れた。

「ちょっと待って、なんで捨てるの！」

叫んだミキをケンは不思議そうに見つめて、だって使い捨てって言ってたじゃん、と答えた。

結局はミキも弁当箱を捨ててバスに乗った。ケンは飽きもせずまた寝てしまった。窓際に頬杖をついたミキはそれを横目でにらんでいた。

東京へ戻って二人はすぐにそれぞれの部屋へ帰った。夏休みが終わって学校が始まっても、なんとなく疎遠になったまま、冬を迎える頃にはどちらからともなく別れてしまった。

〈了〉

もどれない針

小澤みゆき

「大変申し訳ございませんでした。はい、明日の一七時に伺います。お忙しいところ恐縮です。はい。失礼いたします。」

　そういって電話を切ると、ふにゃふにゃと全身の力が抜けていった。顔を上げて時計を見るとまだ午前中だった。もう半日以上仕事をしたような気分だ。優莉は脱力しながら手元の雑誌に目をやった。彼女が担当しているクライアント・Ｔ社の見開きの広告には、白人の女性モデルがクールに腕時計を身につけて、こちらを向いているのが写っている。

「登坂さん、本当にすみません。僕……」

　制作部の瀬戸純一が、泣きそうな顔をしながら直立不動で優莉の横に立っている。新卒一年目の瀬戸は、まだリクルートスーツを着ている。

「いやいや、私もチェックが甘かったし、仕方ない。謝罪には私が行ってくるから。今後事故が起こらないように徹底しましょう」

「はい……」

　瀬戸があまりにも所在なさげなので、優莉は不憫になってきた。新卒にすべての責任を負わせるわけにはいかない。忙しかったとはいえ、担当営業だった優莉のミスということになる。瀬戸が席に戻ると、優莉は目を閉じて、小さくため息を付いた。

　事の顛末はこうだ。Ｔ社は誰もが知るフランスの有名ブランドで、優莉の担当雑誌「ＷＡＬＴＺ」に毎月見開きで広告を出稿している。主力商品は化粧品やバッグだが、売上拡大のため、近年は宝飾品にも力を入れるようになった。そこで今月発売された号には、初めて女性向けの腕時計の広告が掲載された。それ自体は問題がないのだが、悪かったのは前後の「並び」だ。

　ラグジュアリーブランドの雑誌広告には序列がある。複数のブランドが同じ金額の広告枠を買った場合、その企業のブランド力と商材に応じて出版社が忖度し、掲載の順番を決めている。今回のＴ社の場合、ブランドとしては名前が知られているが、商材自体はまだあまり世間に知られていない。そのため順序を二番めにし、その前にライバル会社の指輪の広告を掲載した。このことにＴ社が憤怒しているというわけだ。

　優莉としては、きちんと事情を説明していたはずだったのだが、どうも、直接やり取りをしている担当者にしか伝わっていなかったらしい。Ｔ社のボスであるマーケティング部長が誌面を見て、激怒しているようだ。起こるべくして起こったというよりも、コミュニケーションの齟齬が生んだ確認ミスといったところで、誰が悪いというわけではない。確かに台割を組んだのは瀬戸だが、それを先方に確認するのは優莉の仕事だ。誰かが責任を取らなければならない。気が重くなり、胃がきりきりとした。

量の少ない昼食を取り、席に戻りメールをチェックする。すると数分前に届いていたメールに、思わず心がうわずった。広告代理店Bの渥美からだった。

登坂さま
お世話になっております。渥美です。
T社の件、こちらも確認が行き届かず申し訳ありません。僕の方からも謝罪の電話を入れまして、明日の一七時に訪問とうかがいました。僕も同席いたしますので、一七時五分前にビルの下で待ち合わせしましょう。
何卒よろしくお願いいたします。

渥美玲司

はずんだ気持ちを抑えられなかったが、まわりに悟られないように落ち着いて、丁寧にお礼を添えて返信した。渥美に会うのは三ヶ月ぶりだった。

*

優莉は小さい頃から勉強だけはできたが人付き合いは苦手だった。学校の試験もお稽古ごともそつなくこなしたが、周囲になじめなかった。友だちがいないわけではなかったが、特定の誰かとつるむということは少なく、中学高校と私立の女子校に進学してからも独りで本を読んで過ごすことが多かった。

転機になったのは英語のクラスで仲よくなった、太田楓の存在だ。楓は年齢はひとつ上だったが、高校一年の時、優莉と同じ学年になった。楓は、一年間イギリスに留学をしていたため、学年がダブっていたのだ。高校生での留学は珍しく、楓はいろんな土産話を優莉に聞かせた。狭い学校の世界しか知らなかった優莉にとって、大きな刺激になった。私も留学をしたい。いろんな国に行って、いろんな人の話を聞きたい。そんなふうに考えるようになった。

交換留学プログラムのある都内の私大の経済学部に進学してからも、楓との交流は続いた。アルバイトで貯めたお金を元手に、夏休みや冬休みに一緒によく旅行をした。イタリア、台湾、アメリカ、ベトナム……いろんな国や地域にふたりで出かけた。大学三年の留学先はオーストラリアのメルボルン。約半年間、地球の裏側で過ごした。暑い夏のなかでクリスマスや年末年始を過ごしたことは忘れられない思い出だ。

帰国するとすぐ就職活動だった。本が好きだから、という理由で出版社を何社か受けた。優莉が帰国する直前に東日本大震災が起こったため、採用試験の日程が大きくずれこんだ。長い就活期間だったが、留学経験と楓との旅行のことをアピールし、旅行・カルチャー誌の編集を希望した。結果、社員五〇〇人規模の出版社に内定が決まった。

新卒入社して五年、はじめの二年は文庫本の編集部に配属され、三年目からは女性誌「WALTZ」の広告営業に異動になった。「WALTZ」はいわゆるモード誌で、業界の中で部数こそ下がり気味だが、歴史の長い雑誌で、会社の中でも花形部署といって差し支えなかった。

しかし女性誌の広告営業というのは想像以上に派手な世界で、はじめの頃は随分戸惑った。ファッションのことは何もわからなかったので、編集部に一から教わりながら業界のことを学んでいった。特に、辞めた先輩社員からT社の担当を引き継いでからは、厳しい締切や無茶な要求に応えなければならないことも多くあった。つらいこともあったが、なんとか仕事はできている。気がつくと、入社して六年目になろうとしていた。

「明日T社に謝りにいかなきゃならなくなっちゃった」

退勤後、楓にLINEをした。楓は外資系コンサルティング企業の総務部で働いている。最近はお互い忙しくて会うことも少ないが、連絡は頻繁に取り合っていた。

ままでいる。渥美は既婚者だった。


「うわーお疲れさまー」

アニメキャラクターのスタンプとともに返事がすぐ返ってきた。

「振り回されてない？　大丈夫？」

「まあ大丈夫。謝ればすむことだし」電車に揺られながら優莉もスタンプを押す。

「正直Tの印象下がるわ〜、不買運動しようかな笑」

思わずほっとした。楓にはなんでも打ち明けられる。異動したばかりの時など、随分相談に乗ってもらった。けれど、渥美玲司のことは言えないままでいる。渥美は既婚者だった。

＊

会社の最寄り駅にある洋菓子店でクッキーを買い、地下鉄に乗り、銀座へ向かう。地下鉄出口の階段を登ると、空が、春のやわらかい夕焼けでピンク色に染まっていた。平日夕方の銀座は外国からの観光客が多く目につく。どこの国から来たのだろう、白人のカップルが四丁目交差点で写真を撮っていた。彼らの笑顔を見ていると、仕事をしていることをほんの少しだけ忘れられる。

Tの日本本社は銀座の目抜き通りの一等地に存在している。一階と二階が店舗で、三階から六階までがオフィスになっているのだ。ビルの壁にはブランドロゴがLED照明で光を放っている。ショーウィンドウに目をやると、つるつるのガラスと金色の照明の向こうに、見慣れたバッグが陳列されていた。角を曲がると、小さなオフィスエントランスの前に、渥美がスマートフォンを見ながら立っている。ぱっと見たところ本当に普通のサラリーマンのおじさんで、お世辞にも広告代理店のラグジュアリーブランド担当には見えない。服装もいたって普通で、広告業界のすました感じ、ギラギラしたところがまったくない。優莉は笑みがこぼれそうなのを一瞬正してから、明るい声で渥美さん、と声をかけた。

「あれ、登坂さん。髪型変わりましたか？」スマートフォンを胸ポケットに入れながら渥美はこちらを向き直した。優莉は一ヶ月前に髪の毛を明るくしていたが、アポイントのことでいっぱいで、そんなことはすっかり忘れていた。

「そうなんです。渥美さん、今日はお忙しいところ本当にありがとうございます」

頭をぺこりと下げる。

「僕も確認が行き届かなくて。本当にすみません。登坂さんのせいではありませんよ」

そう言うと、渥美はにっこりほほえんだ。

「よくあることです。今日は僕にまかせてください」

受付を済ませ、エレベーターに二人で乗る。これから謝罪をしなければならないというのに、優莉の心臓は飛び出しそうなくらいどきどきしていた。菓子折りの紙袋の取っ手をぎゅっとつかんだ。

渥美のフォローは完璧だった。相手のマーケティング部長は四〇代後半くらいだろうか、青いストライプのスーツに自社の時計とカフスを身に着けた男性で、いかにも業界の人という感じだった。半ばあきれた様子で掲載号のページを見せてきたが、渥美は代理店の確認不足のせいであると繰り返し、動じることなく頭を下げた。クライアントとはいえ、自分よりも年下の人間にこんなに謝って悔しくないのだろうかと、一緒に謝罪をしながら優莉は考えた。結局、向こう三ヶ月間の掲載料金は変わらないまま、掲載ページを一番良い場所である第一表二見開きにすることで手打ちとなり、アポイントは終了した。エレベーターを降り、ビルから出ると銀座はすっかり夜に包まれていた。ぴゅう、と春の風が突き抜けていく。渥美は一瞬空を見上げてから、隣の優莉のほうを振り向いた。

「飲みに行きませんか。今日は直帰の予定なんです」

＊

銀座の雑踏を抜けて、交差点を東銀座の方へ曲がる。大通りから裏路地に入りしばらく入ったところに、見逃してしまいそうなほどこじんまりとした飲み屋があった。

「おしゃれなお店じゃなくて、すみません。ここでいいですか」

全然だいじょうぶです、と優莉が返事をすると、渥美はそっと引き戸を開けて。ふたりなんですが、と言った。

「入れました。登坂さんどうぞ。」そう言って、渥美は優莉を中に招き入れた。のれんをくぐると、八席くらいだろうか、向かって縦長L字型にカウンター席だけがあった。年配の夫婦らしき男女がカウンターの中にいて、「いらっしゃい」と女性の方がこちらに声をかけた。

まっすぐに進み、Lの長辺の真ん中あたりの席に座る。他には、スーツ姿の男性がひとりで飲んでいるだけだった。「何にしますか」と渥美はお手拭きのビニール袋を開きながら尋ねる。「生にします」優莉も手を拭きながら答える。

「すいません、生とハイボール、それからポテトサラダと……」

渥美はよどみなく注文した。疲れていて、あまり何が食べたいかも考えられなかったから、すべて注文を決めてくれたことが、ありがたかった。

乾杯をし、しばらく仕事の話をした。ほかのブランドの営業状況や、別の代理店との付き合いなどを聞かれたが、支障のない範囲で優莉は答えた。やがて、登坂さんは何年目ですか、と訊かれたので、五年目です、と答えると、

「若いのにしっかりしてるなあ。僕なんて登坂さんくらいの時なんか、クライアントと飲んでばかりいましたよ」そう言ってつくねを口に運んだ。

「でも本当はやりたかったのは編集の仕事で。旅行が好きなので、取材して、記事を書くのがやりたかったんです。でも今も案件によっては似たようなことしているので、半分かなっているんですけど……」

「書くことがお好きなんですか」

こちらをじっと見ながら、渥美は言った。すこしうつむきながら、そうです、と答えると、

「ならきっといつか、やりたい仕事ができますよ。登坂さんなら大丈夫です」

と、言った。優しい声だった。おもわず優莉は赤くなった。

他にも、渥美の部署の話や、渥美の趣味であるフットサルの話などを聞いた。好きな人の話を聞いているはずなのに、疲れのせいか、あまり頭に入ってこなかった。最近は息子の中学受験で忙しい、という話になると、ああこの人は父親なんだったと重ねて思わされ、ハイボールのジョッキを握る左手の薬指の光に視線がいってしまうのだった。

店を出ると思ったよりも暗かった。お帰りはどちらですか、と渥美は尋ねる。私は地下鉄で、と答えると、僕はJRなので、と歩き始めた。

角を曲がり、表通りに出る。しばらく歩くと地下鉄への入り口が、水色の光を瞬かせながら口を開けていた。

「きょうはありがとうございます。ごちそうにもなってしまって」

優莉はなるべく明るい声で言った。酔いはまったくまわっていなかった。

「何でも相談してください。おつかれさまでした。おやすみなさい」

そう言うと、渥美は歩いていった。優莉も階段を降りる。しかし五、六歩下ったところで、立ち止まった。

もう、こんな機会は二度とないかもしれない。腕時計を見るとちょうど二一時になろうとしていた。優莉は可能性にかけてみたかった。しあわせになりたいと思ったのだ。振り返り階段を登る。横断歩道をわたっている渥美を追いかけ、大きな声で名前を呼ぶ。信号が明滅しはじめていた。


〈了〉

プレゼンス・アブセンス

「僕の奥さん、長いこと留守にしているんだ」

　淡いピンクとベージュのバラ模様の玄関マットの上で私は固まった。それでも出されたスリッパをパタパタ鳴らしながら歩き回った後、なんとかソファーに落ち着いた。白いレースのカーテンから、昼下がりの陽が差し込む。柔らかな光に包まれて、なんだか後ろめたい時間が流れる。

「奥様が長いことお留守?」

　清潔で気持ちの良さそうな暮らし向き。男手だけでこれをキープ出来る訳はない。

「家政婦さんでも頼んでいるのですか?」

「いや、僕一人だけど」

　ボクヒトリダケド……私はにわかに自分の存在がむくむく増大していくのを感じていた。

　ボクヒトリダケド……この一言で私は不思議の国のアリスみたいに、どんどん大きくなって、もうじきあの窓を突き破って、体が外へはみ出してしまうかも知れない。

木花なおこ

　顧問が会社に顔を出すのは月一回のミーティングの時だった。あとは呼ばれるか、たまに気が向けば、という頻度。

　あれは、仕事で郵便局に行った帰りのこと。古ぼけた喫茶店のガラス越しに、人影がちらっと、目の端に止まった。立ち止まってのぞき込むと、顧問だった。おいでおいでの合図をするので、緊張しつつも中へ入ると
「コーヒーでいい?」

　私は柄にもなく、喜びを前面に打ち出してうなずいた後、顧問のお相伴にあずかったのだ。顧問が会社に来ると、私は秘かに顧問を目で追っていた。終業までいることは滅多になかったので、顧問が帰ってしまったあとは、つまらない思いをして、軽い喪失感を味わうという始末だった。

　そんな私だったから、些細な事でも顧問と関われるチャンスには、喜びを分かりやすく打ち出すように努めていた。それは、本当に私にしては柄にもないことだったが、顧問の前に出ると嬉しくなってしまう自分を、恥ずかしいとも思わずに案外自分で好いていたのだ。だけど人が一方的ということは、どんな場合にもあり得ない。私が素直に喜びを表現できる土壌を、顧問は顧問で耕していたはずだ。だからこんな偶然の機会に、お互いの連絡先を交換しあうことに何のためらいも感じなかった。なにしろそれ

は運命だったのだから。

顧問は人間が出来ているというか、あらゆる場面に慣れているというか、下心がないというか、女心を上手にスルーして、ご飯を食べたりお酒を飲んだりが出来る人だった。会う時はいつも二人きりだったけれど、たいていは顧問の行きつけの店に連れていかれたから、それとなく公共性が保たれて、物足りないようなデートの繰り返しだった。そんなことがもう何年も続いていた。私たちには関係性というものはなく、一期一会の逢瀬が積み重なっているのに過ぎないのかもしれなかった。

その何年かの間に、私にも彼氏が出来たりしたのだが、初めのうちの、恋の楽しい時間が過ぎてしまうと、だんだん会いに行くのが面倒になって、(お互い様ね……)自然消滅。

忘れた頃に連絡もらって会いに出かけたけれど、退屈しのぎのこんな時間が虚しくなって、コートのポケットに手を突っ込んだまま、肩で風を切って横断歩道を渡り切ったら、隣に彼氏がいなかった。振り返ると、ぼんやりとたたずむ彼氏が、信号が赤に変わったのをきっかけに、くるり、と向きを変えて、来た道を戻って行く所だった。

行ってしまう彼氏を目で追いながら、淋しさがこみ上げて来たけれど、この淋しさを、どこかで待ち望んでいた、秘めた自分に出会えたような気分だった。

その後、私は初めて顧問を呼びつけて、終電まで街の中を一緒にうろつき回った。顧問の腕にぶら下がって、終電なんて関係ないでしょ? という気持ちの高まり具合だったが、顧問はいつもと変わらず私を改札口まで送り届けただけだった。

別れ際、私はどんな顔をして顧問の顔を見たのだろう。顧問のどちらかといえば小さな目が、粘り気を帯びて、蔑むように怪しく光ったのを私は見逃さなかった。否定したくてもしきれない感情を、共有したくても共有出来ない想いを、お互いのうちに認めている。


この時以来私の心は決定的に顧問と結びついてしまった。

この時点では、私の前途はまだまだ有望で、嫁にも行けたし、スキルを磨いて華やかな転身だって夢じゃなかった、はずなのだ。それなのに私ときたら、あいまいな顧問の態度を責めもせず、煮詰まってゆくだけの自分を良しとしていたのだから、恋をするとは恐ろしい。

突然顧問から
「今度うちに遊びにいらっしゃい」

と言われた時は、心臓をわしづかみにされたのかと思うほどギョッとした。それがどういう意味なのか聞くにも聞けず、頭がグルグルグル回るだけだった。

いよいよ明日、というその前の晩は、最悪の事態を想定して、地味なワンピースにアイロンを当てていた。いよいよ明日、私の心は粉々に砕け散ってしまうのかもしれないのだ。これまで透けて見えていた、お互いの秘めた想いはなかったことにして、私は全てを鉛に包んで飲み込まなければならないのだろうか。にこやかに微笑む奥様を盾にして、顧問は私から永遠に離れ去るつもりなのだろうか。一方的な片思いで片付けるにしては、顧問は私に構い過ぎたのだ。さすがに怒りがこみ上げて来た。

とにかく明日。顧問の意思が私に示される。


おそらく、現実的な時間としては、ほんの少しの間だったと思う。

ボクヒトリダケド……その言葉を聞いた後、現実的な行為として私はソファーから立ち上がったのだ。顧問は私を抱きしめた。私たちは、長い航海の後に静かに錨を降ろした船のようだった。

それからしばらく、顧問は私の部屋で暮らしていた。今思えば、この時が最も幸せな時だった。奥様がどうして長い間留守にしているのかは聞かなかった。私は顧問の生活なんて知りたくなかった。

そのうち顧問は自分の家へ戻り、私の部屋で過ごす事はあったが、遂に家を出て、私と一緒になることはなかった。

十二年という月日が流れたが、その間に私は婚期を逃し、会社ではお局に収まりきって、顧問との愛は秘められたまま墓場へ持ってゆくしかなかった。人のものを好きになって欲しがり続けたのだ。全てを隠して、完全犯罪をやってのけることしか道がなかった。幸せが何であるのかは、私には意味のない問いだった。とはいえ、これからも、のっぺらぼうの顧問と空っぽの日々だけが私を待っていると思うと、終わり、の文字が脳裏をよぎる事もあった。

そしてそれは意外と早くやって来た。顧問が交通事故であっけなく逝ってしまったのだ。享年五十四歳。私より一回り年上だったけど、逝くには早すぎる年齢だった。

もしも顧問が年を取って奥様に捨てられたら、寝付いた顧問のそばに椅子を引っ張りだして、一日中本を読んでいよう、静けさに満ちた二人だけの時間を、心ゆくまで味わい尽くそう、そんな私の夢も顧問の死と道連れになってしまった。

お葬式には社長等数名と出席して、棺のふたが閉まるのも、この目で確かめたはずなのに、顧問が逝ってしまったのがどういうことか分からない。

あなたが逝ってしまった後、私の人生にぴったりはまるのは、シャンソンの歌詞だけになってしまった。失われたあなたを求めてさまよう日々。時折、あなたの残像を見つけて、私と結びつけるけれど、私たち二人はどこまで行っても、不在の中の存在でしかあり得ない。

あなたは来ない。雪が降る。

〈了〉

大恋愛

櫻木みわ

恋に落ちるのはかんたん（ファッシル）だし、セックスするのなんかもっとかんたん（プル ファッシル）。ダリアの花束みたいに派手に遊び暮らしても、天までそびえ立つ白いケーキの前でほこらしく祝福されても、愛することの真意をついぞ知らないまま死んでゆく者も多くいる。以前は車の修理工場だったところがパン屋になって、まだ三十にもならない職人の焼くバゲットがすこぶるおいしいというので、祖父母は最近、朝食用のパンをこの店のものに切り替えた。全粒粉のバゲットを一本に、広場前のキオスクで購入したル・モンドの新聞を持ち、サヨは祖父母の家に帰る。

「メルスィー、サヨ」

祖母がとがった鼻を近づけて、サヨの頰にキスをする。

「寒かったでしょう」

「平気。おじいちゃんは?」

「スープをのんでねむったところ」

「そう」

サヨはがっかりし、でもそれを出さないようにしてテーブルに新聞とパンを置いた。長い休みのたびに、サヨは東京から、フランス・リヨンのこの祖父母の家にやって来る。それはいつでもたのしいことだったのに、この冬休みはちがった。祖父はこの冬、クリスマス（ノエル）のごちそうすらあまりたべることができなかった。にんじんをすりつぶしてコンソメを溶かしたスープと、白や青の砕いたくすりの錠剤をのんだだけで、百キロの道をあるいたみたいに疲れきってしまうのだ。それでも昨日まではパンを口にして、サヨにル・モンドを読み聞かせるようたのみもした。新聞の隅に出ていた、中国中部で原因不明のウイルス性肺炎の患者が増えているというニュースを知って、北京に移り住んでいるという古い友人一家のことを気にかけてもいたのに。サヨがこちらに来てから一週間のあいだにも、祖父はねむっている時間が徐々に長くなっている。

「フランスには、一二四六種類のチーズがあるといわれてるんだよ」

むかし、たぶんいつかのノエルのとき、食卓でくせの強い濃厚なチーズをよろこんでたべるサヨをみて、祖父はうれしそうにそういったものだった。

「サヨは日本で育ってるけど、わたしとチーズの趣味があう。大人になったらワインの話もできるね」

ワインにまつわるフランス語はうすい辞書が一冊つくれるくらい大量にあるのだと、これは父が教えてくれたことだった。正確には、父は母に向かってそれを話していたのだが、母はほとんど聞いていなかった。投げやりなあいづちに、脈絡のないため息。家族三人で暮らしていた広尾の、欅の木のみえる窓の大きなアパートメントをサヨは思い出す。そのころ既に母の頭のなかは、フランス人の夫のことより、自分と同じ母語をしゃべる年下の恋人のことでいっぱいだったのかもしれなかった。

母が家を出て行ったとき、サヨは十五歳だった。サヨはこのことを、同じインターに通っていたリサにだけ話した。けやき坂のスターバックスで、リサはデカフェのソイラテをのみながらサヨの話を聞いた。そうして、重要な結論を出すみたいに、サヨのママはきっと大恋愛をしちゃったんだね、といったのだ。父と離婚の話しあいを済ませ、最後の荷物をまとめていた母に、リサにいわれたことを話したら、母はサヨの顔をみて、そうかもしれない、といった。サヨ、ごめんね。サヨはなにもこたえなかった。リサのことばを聞いたとき自分がどう感じたのか、どうして母にそれを伝えたのか、自分のことなのにサヨには全然わからなかった。ただわかるのは、そのとき母にいってほしかったのはべつのことだった、ということだけだ。

それから五年、ＬＩＮＥはよく来るし、誕生日プレゼントや大学の合格祝いなんかも送られてくるけれど、母とは一度も会っていない。サヨが西麻布のガールズバーでアルバイトをしていることも、月に一度、新宿区の小学校で移民の子どものための日本語教室の手伝いをしていることも、長期休みのたびにフランスの祖父母の家に行っていることも母は知らない。

祖母が暖炉の前にかがみ、火かき棒で薪をくずしている。

「あたしやるよ」

となりにかがみこみながら祖母の顔をみて、サヨははっとした。浅い皺の走る祖母の頬を、涙がひとすじつたっていた。

「おじいちゃんは、おわかれのときが近づいているかもしれない」

まっすぐに火をみながら祖母はいった。

「サヨは、日本に帰る日をすこし遅らせられる？　きょうの往診で先生に相談して、あなたのパパにもフランスに来るように連絡しようと思う」

祖父母が出会ったのは一九六八年のベルリン、フランス中部の大学生たちが参加したスタディツアーでだった。一九六八年は革命の季節。祖父は物理学、祖母は文学部の学生だったが、ふたりとも本がすきで山がすきだった。そして当時の多くの若者たちと同じように、政治に強い関心を抱いていた。仲間と議論し、デモに出かけ、夜のカフェで語りあった。当時はまだあった徴兵制度によって、祖父はアルジェリアに派遣された。

大学を卒業すると、ふたりはすぐに結婚した。祖父は国立の原子力研究所に、祖母は小学校教諭の職を得た。三人の子どもを育てながら、もとは納屋だった古い建物にすこしずつ手を入れて、住みやすい家に整えていった。生活は楽とはいえなかった。普段はパンとスープ、もしくは茹でたジャガイモのみの切り詰めた食事で質素に暮らした。ソーセージ（スシソン）や肉料理はとくべつな日だけのごちそう、車やラジオはいまにもこわれそうな代物を後生大事に使った。それでも長男（父のことだ）が十二歳になった年のヴァカンスにはキャンピングカーを借り、当時のチェコスロバキアや旧ユーゴスラビアを横断してギリシアまで、初めての家族旅行に出かけた。真夏のエーゲ海、古代遺跡の前に立ち、太陽のまぶしさに顔をしかめて笑う子どもたちの写真はいまも、暖炉の側の壁に飾られている。子どもが三人とも独り立ちして、祖父母はようやく、時間的にも経済的にもゆとりを得ることができたのだ。

ふたりとも、大仰にふるまうタイプの人間ではなかった。かれらが着飾ったり、抱擁をかわしたりしているところを、サヨはみたことがない。こまかな雑務や日々のこと、子どもたちの近況や知人の葡萄農家がつくるワイン、各国のニュースなどを、かれらは静かに分けあって、このフランス中部の町でただひっそりと老いていくかにみえる。けれど、食卓で祖父が話しているとき、祖母が伸びあがるように背筋を伸ばし、碧色の目をかがやかせて祖父をみつめる。マルシェに買い出しに行った帰り、水鳥が飛びかう川岸の舗装路をふたりが手をつないでゆっくりとあるく。休暇でフランスに来るたびに、サヨは祖父母のそうした姿を目にしてきた。そのたびにはっとさせられ、なんでか泣きたい気持ちになった。五十年以上もの年月を、ふたりは共に生きてきたのだ。

「おばあちゃん」

祖母の痩せた背中に手をあてた。いつも着ている深いオレンジ色のカーディガン。祖父が着ていたモスグリーンのセーターとよい色のくみあわせだと、冬のたびに思っていたことを思い出す。食事の支度をしましょう、祖母が自身を奮い立たせるようにそういって両膝に手をあてて立ちあがったとき、テーブルの上に置いてある祖母の携帯電話が鳴った。日本にいる父からだった。祖母は、先ほどサヨに話したことを父に伝えると、待ってね、といってサヨに電話をわたした。

「なるべく早く航空券を取って、そちらに向かうよ」

と、父はいった。日本は夕方で、父はまだ仕事中のはずだけれど、電話の向こうはしんとしている。

「きょうの往診の結果を聞いて、君のママにも連絡するよ」

「なんで」

動揺して強い声が出た。

「ママはもう関係なくない?」

「サヨ」

父は静かにいう。

「それは彼女が決めることだよ」

ぽつぽつと車が停められた病院の中庭には、かわいたプラタナスの落ち葉が散らばっていた。その葉を踏んで、五年ぶりにみる母が近づいてくる。黒いコートに、焦茶色の革のボストンバッグを持ち、黒のショートブーツを履いていた。目を逸らすように空をみあげたら、冬の澄んだ晴天にひこうき雲が一本、走っていた。

「サヨ。久しぶり」

肩のあたりまで伸ばした黒髪に、小さな真珠のイヤリング。ほっそりとした目をさらに細めて微笑む母は、最後に会ったときとまったく変わらないようにも、どこかが決定的にことなるようにも思えた。

「おじいちゃんのこと、残念だった」

それにはこたえないで、

「こっち」

踵を返して、サヨは病院の別棟に入ってゆく。廊下をあるき、受付を通り、階段をおりて、地下の霊安室に行った。祖父の遺体が横たわるその部屋で、母は、父や祖母、叔母や祖父の妹とビズを交わし、日本語訛りのフランス語でお悔やみのことばをいっている。東京のフランス人の友だちのなかには、日本人のしゃべるフランス語ってチャーミングだよねっていっている子もいたけど、サヨは日本語ネイティヴたちがそろってする文法上の誤りや、似かよった訛を聞くたびに、不気味な感じがした。父をはじめとするフランス語話者の使う拙い日本語やアクセントは気にならないのだし、月に一度、日本語を教えているミャンマーやベトナムから来た移民の子どもたちにたいしてはそもそもそんな考え自体が浮かばないのに、妙だった。

父と母が話している。いつもと変わらない父のおだやかな顔をみて、サヨは自分の胸のなかで、苛立ちがあわだつのを感じる。父は、常に母にやさしかった。夫婦のときだったらわかる。だけどいまは? そんな必要あるんだろうか。サヨは母にここへ来てほしくなかった。母の登場によって、祖父とのわかれ、そのまじりけのないかなしみに、よけいなノイズが混じる気がした。母は、祖父母の家の近くの小さなホテルに宿を取ったらしかった。そのまま二日後の教会での葬式にも、墓地でのクレーンを使った土葬作業にも、そのあとに祖父母の家で開かれたアペリティフにも参加する。

アペリティフはにぎやかだった。祖母のきょうだいたちが、ひらたい大きな木の台に載ったさまざまな種類のチーズを差し入れた。祖父がいたら、眉をつりあげ、いたずらっぽくサヨに微笑んだにちがいない。おおサヨ！　わたしたちの好物じゃないか？　自分がフランスにやって来るたびに、めずらしいチーズを用意して待ってくれていた祖父。サヨがよろこぶのを、本当にうれしそうにみていた。地下の倉庫からワインのボトルがいくつも出され、パテやオリーブ、つやつやした生ハムや冬野菜の酢漬けがまわされる。祖父母の友人たちも、ピスタチオや唐辛子が練りこまれたソーセージ(ソシソン)を持って来てくれた。暖炉では火が燃え、教会を飾っていたたくさんの花がはこびこまれた部屋のなかは、花の香気とひとびとの話し声が満ちている。

「日本のお通夜やお葬式とは、ぜんぜんちがうのね」

　気がついたら母が横に立っていて、話しかけてきた。ワインをひとくちのむと、こちらに笑いかける。

「サヨはすっかり大人の女性になったね。まいにちサヨのことを思ってるけど、驚いた」

「そう？」

　サヨは素っ気なくいった。従妹のセシルとルーシーが、部屋の向こう側の窓辺に立って、林檎酒(シードル)をのんでいる。彼女たちのところに行こうとしたとき、母が、

「サヨはいま、すきなひとやパートナーはいるの」

　と笑顔のままいった。答えが知りたくて尋ねたというよりは、ただ話をしたくて引きとめたという感じだった。バイト先のガールズバーにもこういう客は多かった。中身を詰めわすれたパイみたいな会話。

「ママは？」

　サヨは、母をふりかえった。

「ママはどうなの。まだあのときの相手と一緒にいるの」

　母は面食らった顔をして、だが首をかたむけるようにうなずいた。近くのテーブルにワイングラスを置くと、サヨのほうを向いた。

「サヨはもう大人。だから正直に話すけど、家を出てから、パパのことやフランスの文化の素晴らしさについて考えるようになったの。日本の男性は、もちろんそうじゃないひともいるけど、精神的に子どものひとが多いんだと思う。きっと教育や文化の差だね」

「どうして？」

「……ママはそのひとに傷つけられたんだね」

「そうじゃなきゃ、そんな話しないでしょ」

　いつのまに、自分の背が、母より高くなっていることに気がついた。母のほそい睫毛、目尻の皺と、鼻の脇からうっすらと伸びた法令線をサヨはみた。その皮膚のした、胸のなかにうずくまっている思いまでもがふいにみえるようだった。

「ママとそのひとは、大恋愛なんかじゃなかったんだよ。たぶん、ママとパパも」

　そう口にして、自分はこれをいいたかったんだと思った。自分はずっと、このことを考えていたんだと思った。恋に落ちるのもセックスするのもたやすい所業。人生のひみつはほかのところにあるんだ、ってサヨは思う。思いたい。

　大きな窓から、白い冬のひかりが射している。木の枝が、空に向かって伸びている。同じ敷地に住んでいる叔父の家の猟犬が、来客に吠えたてているのが聞こえる。離れてみてわかった、なくしてみてわかった。ばかじゃないのか。いつか離れないといけない、いつかなくさないといけない。わたしたち最初からみんな、そんななかに生きてるんじゃないのか。かんたんにこわれて過ぎ去る、一瞬の泡のなかにいるんじゃないのか。気泡が喉を刺す、つめたいシードルをのみたかった。サヨは窓辺に立っている従姉妹たちのほうにあるきだした。祖父のことを悼むために。祖父母のことを語りあうために。

〈了〉

血管腫

汐入憂希

三つの路線が利用できる、というと、便利なように聞こえるかもしれないが、その内訳が千代田線と京成本線と都電荒川線と聞けば、さして魅力的に思わない人も珍しくないだろう。どの路線の駅から出ても、尾竹橋通りと藍染川通り、または都電の線路が往来を妨げるように駅前の風景を分断する。東京都荒川区町屋を、私はそんな風に見ていた。稲荷町からその町屋に向かうには、やや不便で、上野から京成線で向かえばいいと言えばいいのだけれど、履きなれない靴を履いて上野駅に向かうことも、町屋からまた少し歩くことも気が進まない。浅草通りを走るタクシーを捕まえて、「町屋斎場まで」と言う方がどう考えたって手軽なのだった。

「町屋……町屋さいじょうですか?」

「町屋斎場、町屋の方だと思うんですけど」

バックミラー越しに、私の喪服を確認し、彼は言う。斎場。

「すみません、私、まだ研修中でして、ナビを見ながらのご案内で大丈夫でしょうか、すみません」

構わないですけど、と返しながら、踵から浮かせたパンプスをぱかりぱかりと浮かせたり戻したり。ああいつの間に下谷警察署がこんなに立派に、ああ大関横丁の方には行かないのか。そこまでは知った車窓も、三ノ輪から先になるともう知らない。

「もうすぐなんですけれどね、ナビだと、中に入れるかどうかわかんなくって。ぐるっと一周して入る場所探しましょうか?」

「あー、大丈夫です、ここで。見えるんで、門が」

一一四〇円を支払って、タクシーを降りる。車内は思ったより暖房が効いていたようで、一足歩き出すと三月下旬の冷えが黒いストッキングの足首にまとわりついた。京成本線の陸橋をくぐって、すぐに町屋斎場に着く。想像していたよりずっと広そうなその葬儀場に、溜息が出る。誰かと来られればよかったのだけれども。

駐車場の端に、何某家はどこどこ、と会場の案内板があった。K本家の会場は向かい側の一番端にあるから、駐車場をすっかり渡りきらないとならない。凪いだ天色を雲が歩いて、向こうには喪服の人だかりがあって。スタンド灰皿の間を抜け、私はK本家の受付に辿り着く。芳名帳の台紙に氏名と香典の額、それから、関係性を書くよう、形式が整えられていた。

K本の家は、元は茨城の太平洋沿いにあった。今でも彼の親族が数組住んでいるという。私も幼い頃、K本の家に数回泊まったことがある。海っぱたの崖の上に古い母屋があり、夜中に波音が繰り返し押し寄せてくるような、そんな家だった。

K本の長男が旅館をやっていたが、二〇一一年の災害の折に、畳んでしまった。もともと客で賑わっていたような旅館ではなくても、ついに閉めたようだと母から聞いたときは、寂しく感じたい心地がした。K本の長男の旅館なんて、私に特に関わりがある旅館ではない。きっとK本の家同様に、どの部屋にも夜な夜な真っ黒な波がザー、ザー、と押し寄せていたのだろう。K本の家と旅館は、歩いて三分もかからないくらい近かったのだから。

母は、K本と一緒に暮らしたことがない。一九八八年、バブルの頃に二人は出会い、だらしない関係を結び、翌年私が生まれた。K本には、旅館をやっていた親の紹介した短大出の婚約者がいて（高卒の母は彼女のことを「短大出」と妬ましそうに呼んでいた）、母と結婚をする気などなかった。母もそれを悲観するでなく、「私が若かったから。なんにも考えてなかったから、しょうがないの」と繰り返し言っていた。

K本もK本で、そんなだらしない関係の女と娘を突き放すでもなく、結婚してからも時折阿佐ヶ谷にあった私達の家に遊びに来た。そして、年に一度くらい私を茨城の家に呼んで、私より幼い自分の子供達や、色々な年頃の親戚の子供達と遊ばせた。今となっては、私が彼らの中で「何者」だったのかは判然としない。私にとってK本も、ずいぶん長い間「K本のおじさん」だったのだ。私の出生の数年後にK本の妻となった短大出も、私へは普通に接していた。彼女が私のことを別腹の子と知っていたのかどうか？ K本が幼い私にとっての父親ではなかったのだから、尋ねようもなかった。

短大出はいつもくすんだ色の服を着て、つとめて目立たないように、子供や大人の世話をしていた。彼女の浅黒いうなじに平たく大きな赤あざがあり、怖いもの見たさで、時折短大出の肩を揉んでいたことを思い出す。くたびれた肩の筋肉と、その粗い肌理（きめ）が、赤あざをぐねりぐねりと踊らせていて、不気味で、可哀想で。五センチメートルくらいの赤あざが短大出の本体なのだ、と空想しながら、「おばさん、痛くない？」とその赤あざに声をかけていた。

「ちょうどいい、ありがとう。上手ね」

「うん、だって、いつもママの肩をもんでいるから」

私が小学校の高学年になる頃には、K本と会うことはほとんどなかったと思う。それでも、K本が母に金を送るのをやめることもなかった。毎年春になると、進級や進学を祝って贈り物が届く。母に言われ、私はK本に礼状を書く。

高校に上がる頃に、K本が私の本当の父親なのだと母から聞かされた時にも、衝撃は薄かった。パパが「遠いところ」にいることよりも、パパが「K本のおじさん」であることの方がもっともらしいと十五歳の私は感じたのだった。そして、高校卒業の頃に、K本が東京に移り住んだということも母から聞いたが、阿佐ヶ谷に住んでいた私にとって、常磐線の方はずうっと向こうだったのだから、「そうなんだ」という返事しか出てこない。単身、銀座線沿いに引っ越してK本が隣の区にいる状況になってもなお、彼の訃報を聞くまですっかり住まいのことについては忘れていた。

受付で渡された芳名帳のペラペラとした台紙のどれに丸をつけようか。親戚？ 母の代わりに来たのだから、友人でもいい？ 二十五の年の差の「友人」は訝（いぶか）しまれてもしょうがない。弁当の漬物のように右端でおとなしくしている「一般」に丸をつけ、受付の女性に渡す。遺影に向かって右側の親族の席には、K本の親や兄弟、子供らがいるのだけれど、私にはかつての子供たちの誰が誰だかもう分からない。七十代か八十代か、随分高齢の女性の隣に座っている、六十代くらいの女性が多分、K本の妻だろう。神妙に項垂(うなだ)れているようで、彼女の表情までは見えない。櫛(くし)をいれていなさそうな、束ねただけの一つ結びは、昔とあんまり変わっていない。ほとんど誰も私のことを分からないかもしれないけれど、短大出が覚えているかもしれないと思うと、ここにいていい、と言われているようだった。

　会葬者用の椅子に座り、母から預かった数珠を取り出す。十分も経たないうちに住職が来て、葬儀が始まる。読経に合わせ懸命にK本のことを悼もうとするものの、一緒に暮らしたことのない父親について、人はどこまで悼むことができるのだろうか。彼を恨んでも憎んでもいないが、愛してもいない。ただ、五十七歳で死ぬというのは随分若いなと気の毒に思う。その気の毒、そのままのサイズの哀悼しか持ち合わせていないことに、申し訳がない。焼香をあげながら、K本のおじさん、ごめんなさい、と胸の奥で詫びた。

　親族席の短大出へ一礼する。下げた頭を上げるとき、短大出と私の目が合う。短大出が驚いたような顔をした、ように思って、私は慌てて視線を自分の足元におろした。歩き出しが不自然になって、少し躓いた足音を絨毯が拾う。元いた椅子に座って、再度短大出を見やっても、もう彼女は私を見ていない。

　出棺の時となり、私は会場の隅に立つ。最後の挨拶をする人々には、涙声になる人も少なくない。K本の妻はその様子を見ながら白いハンカチで目頭をおさえて、そんな彼女を私と同じくらいの年齢の男性が支えている。K本は死んだのだ、これからK本は焼かれるのだ、家族を遺して……と、考えてみてもやはり、涙が出てこない。母がここにいたのなら泣いたのだろうか、母はK本の死を悲しんでいるのだろうか。

　会場の隅で一人じっとしている私の方に、白いハンカチを握ったK本の妻がひとり歩いてくる。私は彼女と目を合わせるのを意識的に避け、彼女の歩みを視界の中心に据える。やはりさっき、焼香のときに気がついて──

「もしかして、ハナちゃん？」

　聞き間違いかもしれないと思ったが、私の名前には母音がアの音が一つもない。「……いえ、私は」

「あら、ごめんなさい……。すっかり、勘違いしてしまったみたいで……」

　K本の妻は赤い目を細めながら、頭を傾ける。

「あの、私は……」

「忙しいときにありがとうございます、きっと主人も喜んでいると思いますから」

　彼女は頭をさげながら、くるりとまた背を向けて、K本の家族のもとへゆっくり確実に戻っていく。赤あざは私の記憶より黒っぽく、彼女のうなじに残っている。私は、ぎりりと瞼を閉じて、眼窩(がんか)がじんわりと熱くなるのを感じていた。誰も、誰もいなかったのだ。今こうして生きている私のことを知る人なんか！

　清洲橋(きよすばし)通りの一つ東側の路地にある小さな二階建ての一軒家のベランダに、一メートルくらいの大きな象牙色のテディベアが干されていた。ステンレスの物干し竿に挟まれていて、どんな顔をしているのか見ることは出来ない。あまりにくたびれた毛むくじゃらのぬいぐるみを見上げながら、骨上げをしているであろう赤あざとその家族たちを思い出して、すぐに忘れた。

〈了〉

暮れ惑う秋

谷田七重

「ね、」と葉月がこちらに目を上げるたびに、氷谷は心の中で、彼女は足指を靴の中でそっと丸めているのではないか、と思わずにはいられなかった。そうすることで自身の心のありかをたしかめているのではないかと思った、でもそのありかが果たしてどこなのか、彼女はわかっているのだろうか?——酒の酔いに痺れてゆるんだ口元と、最後に会った時よりも深くなった目尻の皺。氷谷はその笑い皺に葉月の老いを感じるよりも、昔よりさらに無防備でやわらかな人懐こさを覚えた。相変わらず危なっかしいやつだな、と思った、けれどそのあけすけな人の好さに引き込まれたつもりになって本気で引き込まれていくのも悪くないような気がして、なおかつそんな自分に嫌悪を覚えたりして、氷谷の心のうちはせわしなかった。

　だから、目の前に座りテーブルの下で脚を組んでいる葉月の見えない爪先のしなりを、湿りを想像して、想像しているうちに思い出して、まあこうして、いつかのむせぶような愛の記憶をたどるだけでもいいじゃないかと、そう思ってみたりした。

　——どちらも互いの何かしらを奪わずにはいられない、盗まずにはいられないような、そんな恋だった。時間も空間も身体も体温も、五感のすべても貪り合って、だからこそ短くあっけない恋だった。その時には、互いにじゅうぶん貪りつくしたと思ったのかもしれなかった。でもこうして数年ぶりに顔を合わせてみると、氷谷自身もいったい自分が今どこにいるのかわからくなってしまいそうだったし、また目の前の葉月から何かしらをくすねることができるんじゃないかと、その隙を無意識に探しながらも、まともに目を合わせることすらできなかった。

「ね、聞いて。うちの犬、寝相がひどいの」

　葉月はこちらの目をまっすぐ見据えることにためらいはないようだった。

「よしよし、って腕を貸してる間はおとなしいんだけど、もうぐっすり眠ったかな、もう大丈夫かな、って思って頭の下から腕を引き抜くと、ぴょんって蹴られちゃったりして。でもね、やつはくうくう眠ったままなのね」

　——かつてあんなにも劇的で大胆な愛を交わした相手に対し、年を経たにせよこんな呑気な話ができるものだろうかと、氷谷は訝った。葉月の中では、葉月の中でだけはあの思い出は熟成どころか老成し、かさかさの枯葉みたいになってしまったとでもいうのだろうか、あの黄ばんだ写真のように。——黄ばんだ、とはいっても、夕暮れの西日を背景に撮った、ふたりの表情さえ見定められない、逆光の、背景にきらきらと夕陽を透かすススキの群生ばかりが鮮やかな失敗作、ともあれ、あれも秋だった。

「でもまあ、お気に入りのぬいぐるみをあてがってあげると、それを抱きしめて顔をうずめておとなしくなるからね、まあかわいいんだけど」

　ひとりで空笑いしながらグラスをそっとテーブルに置く葉月の指先を盗み見ながら、その犬、名前はなんていうの？　と氷谷はなんとなく訊いてみた。

「トモルっていうの。ふだんは、トモくんって呼んでるけど」

　それじゃあオスなんだね、と返しながら、氷谷は自分でもわけのわからないいら立ち、嫉妬めいた感情にさらわれそうになっているのを自覚した。だから「そう、男の子」と応える葉月のほころんだ口元から苦し紛れに話を逸らそうとしたものの、ネイルの色は今でも変わらないんだね、などと昔を懐かしむようなことしか口に出せそうになくて、唇をあいまいな微笑のかたちに歪めるにとどめた。

　――そう、葉月の指先、口を押さえて笑ったり大笑いをかくすために顔を覆ったり、かと思えばうつむいて髪の毛を耳に掛けたりするその指の爪には、変わらず赤いネイルエナメルが照り映えていた。かつての激しい色情の残り火が今もなおくすぶっているようにも見えた。それを今さらふたたび燃え上がらせようという気までは起こらないものの、その指先にあかあかと灯る明かりを前に、おれはむなしく鱗粉を散らすだけの蛾みたいなものだ、と氷谷は思ったりした。

　少なくとも、氷谷は葉月との思い出を打ち棄てるでもなく風化させるでもなく、心のどこかで温めてきたつもりだった。だから今日、待ち合わせ場所で顔を見交わした瞬間に自然に、軽い挨拶みたいに唇を重ねることすらできるんじゃないかと、電車の中でなんとなく夢想していた。でも現れた葉月の笑顔は洗われたようにさっぱりと清潔で、いつかの爛れたような関係にあった女だとはにわかに信じがたくて、口づけどころか指先を触れるきっかけすらつかみそこねたのだった。

　そうして向かい合って酒を呑み、葉月は上機嫌に犬っころの話をしている。

　なんとなく、なんとなく互いに、昔の思い出話や現在の異性関係を話すことを避けているようだった。さぐりを入れるでもなく詮索するでもなく、過去も未来もいったん保留にして、ただ他愛もない会話と眼差しを交わし、何はともあれ、ふたりは晩秋の只中にいた。


「やだ」とつぶやいて身を縮め、眉根を寄せながら葉月は両手で耳をふさいだ。この店の広い窓からは外の通りが見渡せて、まさに彼女の背後には赤い閃光の連なりがけたたましいサイレンと共に流れていった。消防車だ。不穏な赤い余韻を残して走り去っていった。

「あー、びっくりしちゃった」とつとめて笑ってみせる葉月の眉はまだ曇っていて、氷谷は今度こそはっきりと葉月の身体のぬくみを思い出していた。

　吐息のこもる唇で耳たぶを舐めたりかじったり、そのさらに中まで舌先を這わせているうちに葉月の呼吸まで乱れて、時おり目を見開きながら切れ切れの声を上げる姿、その身体は弓なりにしなって、それから、それから。すべてが終わったあとに氷谷は言った、爪先まできれいなんだね、と葉月を褒めてみた。

「この、赤？　手指のついでに、爪先も塗ってるだけなの」

　そう言って彼女は脚を折り曲げ、爪先も丸め、氷谷の視線からかくすようにしながら、眠たげな目を上げた。

　――そのまま夜通し眠らせてやることができたら、どんなに良かっただろう。それなのにおれは、おれはその日もなんとか終電までに帰ることしか頭になかった。そんな無言のそぶりにも、おまえはおまえで何かを察しながらあくまでほがらかに微笑んだりして、「じゃ、もう支度しなきゃね」などと言って、促されるのはいつも、むしろおれのほうだった。

　そんなことを思い出した氷谷は漠然と思ったのだった、今、この瞬間も、葉月の爪先は赤く染まっているのだろうかと。あの、指先とはまた違う、秘め事に吸いつくような、すべてを隈なくさらけだす相手のためだけの、爛れる寸前の果実みたいな、甘い腐臭すら漂ってきそうな、あの、赤。……

思いだしているうちに、さっきの想像はよりたくましくなって、赤くぬくみを、湿りを増した彼女の足指がじかに吸いついてくるような錯覚さえ起こしそうで、思わず目を伏せた。

「なあに、酔っぱらっちゃたの？」

葉月のやわらかな声音に目を上げた氷谷は一瞬たじろいだ。鋭く強い視線が自分に突き刺さっている。ただその刃物のような眼差しには光がない。彼女も酔っているようだった。かろうじてしたたかな目で氷谷を貫くことで、葉月は自分を押しとどめているのかもしれなかったし、同時に氷谷を牽制しようとしているのかもしれなかった。

「甘えるのとかね、やめたの」

昔と変わらないとろりともつれるような声で、葉月は脈絡もなくぽつりと言った。

「思い出とか、感傷とか、あの時こうだったら、こうしてれば、とか、そういうの。だってきりがないんだもん」

そう、そうだね、と返しながらも、氷谷はさっきの消防車のゆくえが気になっていた。

「昔のことをどうのこうの思うよりも、どうしたら今現在の自分がより善くあれるのか、とか。そういうことのほうがずっともっと、ずうっと、……」

頷きながら、氷谷の頭の中にはどこかで火事が起きている、火事が起きている、というリフレインばかりがあふれていた。どこで何が燃えてるんだ？　ただ確実に言えるのは、ここじゃない、このふたりの間ではない、もっとずっと遠くの何かが、何かが燃えている。……

それでいながら氷谷は、〈今現在の葉月〉に自分の出る幕はないことを宣告されたようでうら寂しく、それでもどこかに種火を、きっかけを見出せるはずだとこちらを注視する葉月のまっすぐな眼差しに立ち向かおうとしたものの、しおたれたような目を上げるのが精いっぱいだった。それでも、視界の端にはたえず赤い指先がちらついていた。

その手を取り、指先の赤いしたたりを口に含んで彼女をふたたび汚辱の沼に引きずり込むこともたやすかったかもしれない。でも氷谷はそのしたたりが、葉月をこれまで洗い清めてきた時間の流れのひとしずくだと思うと、うかつに手も出せない。

──赤いサイレンは通り過ぎたはずなのに、氷谷はうるさく甲高い音を聞いたような気がして、かすかに首をめぐらせた。葉月は頬杖をついて目蓋を伏せ、うつらうつらしかけているものの、さっき聞いたのは間違いない、キャンキャンとうるさく吠えたてる〈トモル〉の声だと、氷谷は思わず耳をてのひらで撫でつけた。幻聴だとわかってはいても、小さなけだものの口から鋭い牙が自分を狙っている光景までありありと見えるようだった。

かろうじて、大丈夫？　酔ってない？　と葉月に訊いたら、彼女はぱっと顔を上げて唇をにいっと歪ませたかと思うと、忍び笑いを赤いネイルの手で押さえ、ぼんやりと目を細めながら氷谷を見た。目尻の皺だけがためらいもなく、こちらの視界いっぱいにやさしく微笑んだ。

「じゃ、そろそろ行こっか」

口元を隠すしなやかな手指の隙間から、和やかで澄んだ声がこぼれた。

ほどなくして氷谷と葉月は別れた。あっけないものだった。互いの身体のすみずみまで知っているはずの男と女が数年越しに再会して酒を呑みかわしたあと、こんなにもさっぱりと潔く別れられるものだろうかと、地下鉄のホームへ階段を降りていく氷谷は皮肉な可笑しみに唇をほころばせようとしたものの、いびつな微笑のかたちに引きつるだけだった。──さっき、昔と同じように葉月を改札まで送っていったものの、彼女は笑顔で「ありがと、じゃあね」と言うとくるりと身体をひるがえし、昔と変わらず振り返りもせずホームへの階段を悠々と昇っていった。

前と同じようにその後姿が見えなくなるまで目で追っていた氷谷は、昔かならずついてきた「またね」という一言が失われたことで、もうたぶん、二度とあの女に会うことはないだろうという苦い砂でも噛みしめるような思いで、それなら、おれの中の時間というのはせいぜい、倦むことなく繰り返しひっくり返すだけの、砂時計のちっぽけな瓶の中にしか流れてなかったのかもしれない、などと思ったりした。

――ほんのひとときの高揚に火照りながら紅葉して、秋。互いにもう若くはない。晩秋となれば、散るほかはない。氷谷は葉月の軽やかな足の運びを思い描く。こうして少しずつ、互いに一歩遠ざかるごとに葉月の爪先の湿りは失われていく。そうしてまた日常に戻って、おれのことまですっかり忘れてしまうんだろう、〈トモル〉と添い寝して、腕を貸しながら眠っているあいだに。……

地下鉄に乗り込んで色も景色もない、ただ均一な間隔で設置されたうるさい灯りだけが流れていく車窓をぼんやりと眺めていた氷谷は、ふと思った。もしかしたら今はもう、葉月は爪先を赤く塗ってないのかもしれない。

氷谷は色のない、まっさらな葉月の爪先を見たことがなかったことに今さら思い当たり、だからふと、今夜、どんな手を使っても〈今現在の葉月〉の爪先を暴くべきだったと思う一方で、また頭のどこかの片隅では、見なかったら見なかったで、それでよかったんじゃないか、と自分をなだめる声も聞こえてきそうだった。

――でも、もし今夜、爪先に色のない葉月をさぐり当てたなら、おれははじめて彼女の、裸の心を抱きすくめることができたかもしれない。

変わらず車窓に目を投げている氷谷の口元に、やっと自然に微笑が浮かんだ。もう遠く離れた葉月に焦がれるように思った。やっぱりおまえにはかなわない。今夜もまた懲りずにおまえから何かをくすねようとしたら、このざまだよ。

ふたりのあれこれを醸造して、ひそやかに酒を密造し、ひとりしたたかに酔っぱらうしかないような夜の底へ、氷谷は地下鉄の轟音に呑まれながら運ばれていった。


〈了〉

火星の囁(ささや)き

水原涼

秋の日が終わりかけている。二重窓が橙色になっている。窓には宇宙飛行士の――宇宙飛行士を模したフィギュアが意思を持った、という設定のキャラクターのぬいぐるみが寄りかかっている。きっと窓は冷たく、その背中はしんと冷えている。反対側、部屋の内を向いた面は暖房にあたためられている。その感触を思う。あたたかさと冷たさの境界は、うすい黄緑と白の身体の、どこにあるのだろう。部屋のなかでは彼が映画を観ている。声がする。冬の国の王女が喋っている。彼はベッドに寄りかかって真剣な目つきでテレビを見上げている。粒の大きなビーズカーテンが、さっきキッチンに入ったときの名残でまだ揺れている。彼の顔が見えたり、見えなかったりする。ポケットの中でスマホが震える。タイマーを解除して鍋の火を止め、中身をザルに空ける。湯気で視界が揺れる。音に反応して彼が画面から目を逸らしてこちらを見るのがわかる。ザルを振って湯を切り、フライパンに入れる。揺らしながらソースを絡める。

もうすぐできますよ。

部屋の方を見やると、ビーズカーテンは動きを止めていて、彼の顔を隠している。うん、と言って彼は立ち上がり、ローテーブルに置いていたスマホや本を片付けはじめる。

何か手伝う?

訊くの遅くないですか。非難の口調にならないように言う。映画、どのくらいまでいきました?

どのくらいかな、オラフが歌ってる、夏だ。

夏か。

スパゲッティが均一な赤に染まる。それでもフライパンの片隅にまだ、麺に絡まりそこねたソースがわだかまっている。ケチャップを入れすぎたらしい。トマトの焦げる匂いが、狭いキッチンに立ちのぼる。酸っぱくなってしまわないよう、そのかたまりと、具もすこし残してふたつの皿に盛る。できたよ、と言うと彼は映画を一時停止して立ち上がり、こちらにやってくる。

いい匂いする。

匂いに引き寄せられたんですか?

犬みたいだろ。

三回まわってワンって言いな。

言いつけどおりに三回まわり、しかし鳴きはせずに皿を受け取って、わざとらしくよろけながらローテーブルまで運んでいく。さっきまで部屋は映画の音に満ちていたから、それが止められた今は、足音や衣擦れ、重たくなった皿をテーブルに置く音が、やけに大きく感じられる。空のコップを二つ食器棚から出す。彼はもう窓に向かっている。宇宙飛行士の胴を掴んで取り上げ、内側の窓を開ける。そこにはラベルを剥がした二リットルのペットボトルが置いてある。彼はそのボトルからコップに水を注ぐ。並んでベッドに寄りかかった彼は膝の上でぬいぐるみを抱いている。

ソース飛んじゃうでしょ。

はーい。窘められるのを待っていたように、彼はぬいぐるみをベッドの上に横たえる。安置、という言葉が頭に浮かぶ。宇宙飛行士は死んでいて、ここは死体安置所で、彼はそこへ忍びこんで、だらりと手足を投げだした遺体をそっと棺におさめる。イギリスのミステリードラマを、彼が来ない日に一シーズンまとめて観たせいで、ここ数日そんな想像ばかりしている。じゃ、と彼がローテーブルに向きなおる。いただきます。小学生だったころしたように声を揃えて言う。死体を扱ったあとに手も洗わずに食事をする、それも赤いソースの絡まったナポリタンを食べる、そういうサイコパスの殺人者が、あのドラマにも出てきていたかもしれない。

院試受かってたよ、と彼が、ウェブ上で公開されていた受験番号のスクリーンショットを送ってきたのだ。彼の受験番号を囲うように、赤い線でぐるぐると丸が描かれている。おめでとうございます、お祝い買いますね。そう返事をした私の鼻腔に、食べてもいないトマトソースの匂いが湧き上がってきたのは、夏ごろからナポリタンばかり作っているからだ。卒論の準備と就職活動、彼との些細な、その内容はすぐに忘れるのに心のささくれだけがいつまでも残る諍い、忙しく気の騒ぐ日々を送るうちいつの間にか、味付けに気をつかわなくてもいいナポリタンばかり作るようになっている。そうするのが当然のように着時間を知らせてきた彼に、材料を買ってくるよう頼み、部屋に着いてすぐ観はじめられるようDVDを準備したのは、進学のために東京に引っ越す春より先の話をさせないためだ。そんなふうに彼の行動をコントロールすることを覚えたのも夏ごろのことで、そうやって身につけた賢しらさは、きっと彼が遠くへ行ってからも消えることはない。

無言のまま——ひとことも喋らずにものを食べるのは、ふたりが円満だったころからずっとそうだった——食べ終えて、彼は立ち上がり、自分が使った食器をシンクに置いた。腕まくりをして蛇口を捻り、水の温度を確かめる。

わたしがやるから。そのまま置いといてください。麺を飲みこんでから言う。いいの？　いい。すまないねえ。皿に水を溜め、袖を伸ばしながら部屋に戻ってくる。隣に座ると、ほんの数十秒、ビーズカーテンのむこうにいただけなのに、彼がさっきとはちがう匂いを纏っているような気がしたが、ケチャップの匂いがつよくて何も分からない。本棚のまんなかの段に置いたテレビを見上げる。その隣にルームフレグランスのボトルがある。数本のスティックが刺さっている。下のほうほど液体を吸い上げて色が濃く見える。ボトルのなかの液体はほとんど残っていない。自分からの距離は変わらないはずなのに、それを見るだけでレモンバーベナの匂いがつよまったように感じられる。おいしかった。彼はそう言って肩をすり寄せてくる。ごちそうさま。麺を咀嚼しながら頷く。

映画が終わり、特典映像までぜんぶ観て、感想を言い交わす。料理をしていたから、彼のように細部までは観ていない。音声と、DVDを買ってすぐ観た記憶を頼りに話す。観てから一年経っても記憶から消えないいくつかの台詞、悪役の悲鳴、サントラでくり返し聴いた音楽。ミュージカル仕立ての映画だから、作中歌の歌詞を聴けばストーリーは思い出せる。だから今思えば、買ってから一年ほど経つけれど、ぜんぶ観たのはこれが二度目だ。

じゃあサントラ、貸してくれない？

PCに取り込んでるから、データ送りますね。

そのほうが早いか。ありがとう。

彼のその言葉を最後に部屋は静まりかえる。窓は真っ暗だ。立ち上がり、ベッドから宇宙飛行士の遺体をそっと取り上げ、窓にもたれかけさせる。近づくと街灯の光が、曇りガラスのずっと下でぼやけているのが見える。マンションの四階にあるこの部屋までは、地表を歩く人の声や足音は届かない。走り抜ける車の音と、酔った学生の叫び声と、あとはごく静かな夜にだけ、雨が水たまりを叩く音が聞こえる。例年なら十月に初雪の降るこの街で、秋は短い。彼の離婚から五ヶ月以上が経つ。その女と彼が入籍してから、来週の木曜日でちょうど一年になる。それからほどなく雪が降る。きっと彼はその日付を忘れていない。その日の過ごしかたを決めていない。彼は何も言わずにスマホを見下ろしている。映画のキャラクターの画像が見える。覗かれていることに気づいたのか、見ている記事がまだ終わっていないのにブラウザを閉じ、なるほどね、と気のない声で言う。膝を立て、寄りかかっていたベッドに体重を預けたまま身体を上にずらし、そのまま仰向けに横たわる。そのやりかたをするとシーツがずれてしまうと、何度言っても覚えてくれないのも、聞き分けのない犬のようだと思う。

なんか眠くなってきたな。

そのまま寝ないでくださいよ。

わかってるよ。彼はもう眠りはじめているような声で言って見上げてくる。何を期待しているのかはわかる。こうやって見てくる彼に覆いかぶさって、そのまま朝を迎えたことが何度もあった。半年前もそうだっただろうか。彼がこの部屋に通うようになった、最初の夜の記憶はすでに遠く、曖昧だ。

引っ越しの準備、しないといけないんでしょ。

別れを告げてきてからも、かつての恋人は何度かこの部屋に来た。そのたびに他の人間の残り香を犬のように嗅ぎまわり、彼の気配が部屋に染みついてきたころ、姿を現さなくなった。そのことをふと思い出す。

そうだね。

本、多いから大変でしょ。今からはじめないとじゃない？

まだ九月だよ。あと半年も……。彼は何を促されているのかようやく察して、あるいは単に欲求のたかぶりが落ち着いたかして、言葉を止めて身を起こす。でも、言われてみればそうだね、本、一万冊はあるし。

前の家から引っ越すときみたいにはいかないですからね。あの女と暮らしていた部屋から、彼は夜逃げのように抜けだした。本は梱包せず、重ねて紐で括っただけで、服や雑貨も段ボールに放りこみ、蓋も閉めずにハイエースに積んだ。梱包の面倒なものはほとんど置いてきたはずだ。

うん、本当にそうだ……。そう呟き、彼はリュックを取り上げる。あの女が選び、金を出して買ったリュックだ。嬉しそうに報告してきたことを、彼はきっと憶えていないのだろう。

帰り際のキスだけは半年前と同じように何度もして、彼は帰っていく。そのキスで高まりあって部屋に戻ることは、今では滅多にない。

部屋に戻り、キッチンに入る。冷めきったソースをタッパーに入れる。明日卵を買ってきて、オムライスでも作ろうと思う。

だってもったいないでしょう。母はそう言って、色の褪せたハンカチで弁当を包み、ファンデーションは枠の隅にわだかまった最後のかたまりまで使い、スナック菓子はちいさな欠片やシーズニングの一粒も残さずに口に流し込んだ。貧乏性、と言い捨てたこともあるが、そのたびに母は、これが積み重なってあんたの学費になるんだから、と、穴の空いた靴下に継ぎを当てながら言った。ママは右足だけひとさし指が長いから、と言って、いつも同じ色の、左右同じデザインの靴下を履いていた。そうすれば、片方だけが傷むこともないし、仮に一枚がだめになっても、別のペアの片割れと組み合わせれば履きつづけられる。

もったいないからね。母はそう繰り返していた。母は口数がそう多くなく、手持ちの語彙も少なかった。いくつかの定型文をいろいろな場面で使い回した。子供がいるから、というのもそのひとつだった。母と娘だけで一軒家に暮らす家族は三十年前に造成されたニュータウンにはまだ少なく、どこからその情報が漏れるのか、訪問販売のひとたちは狙ったようにあの家を訪れてきた。母は必ず、子供がいるから、と言って追い返した。子供向けの教材を売りに来たひとにまでそう言って、けっきょく数万円を支払うこともあった。

子供がいるから。母はそう囁いた。でもその言葉には男を昂ぶらせる効果しかなかった。男の声は低かった。家の底で何かが這いずる音のようだった。耳を塞いで二人の声が聞こえないふりをしたこともあった。やがて何も感じなくなった。

愚痴と性欲をぶつけるためだけに家に来るような男だった。母はそのすべてを受け止めているようだった。男が帰っていった日は独り言が増えていることに、きっと母は気づいていなかった。やがて母はその男と同じ姓を名乗るようになった。好きなの、と訊くと、首を振ってから小刻みに頷き、ママたちは大人だから、と答えた。男は家に車と、家具と、金を持ってきた。父親が置いていったもの――ベッドや食器、本棚いっぱいのミステリ小説――は、母と娘以外すべて捨てられた。どこかの大学の教員だった。たしか理工学部だった。煙草の匂いが父親と同じだった。テレビのクイズ番組で誰より早く答えようとするのも同じだった。父親のことは匂いとその癖のことしか憶えていない。どちらも嫌いだった。

二〇〇六年、惑星という分類から外れた冥王星は、かわりに何という――。司会者の浮かれた声が終わるまえに男が答えた。準惑星。えー知らんよ、と大げさに悩む出演者を見て、ふん、と鼻を鳴らした。そのときも何かのパスタを食べていた。男は食事をしながら喋るひとだった。正解は……準惑星でした！　司会者がそう叫び、数人の回答者のパネルが赤く、数人は青く光った。もともと冥王星は軌道が太陽系のほかの惑星とは違っていました、惑星にしてはちょっと変だぞ、と、そこで二〇〇六年の八月、国際天文学連合の会議で惑星から外れることになりました、そのとき、冥王星を分類するためにあたらしく定義されたのが準惑星です。

ちがうな。男は低い声で呟いた。ちがうの。母の合いの手に乗せられて、男はとつぜん饒舌になった。そもそも惑星の定義が曖昧だった、それで二〇〇六年に惑星の新しい定義案が出された、でもその案だと冥王星に加えていくつかの星が惑星にふくまれることになっていた、そのことに反対意見が多くてけっきょく、三つの条件を満たした天体を惑星と呼び、そのうちの一つを満たしていないものを準惑星と呼んで、それ以外のものを、太陽系小天体と呼ぶことにした。冥王星を分類するためじゃない。

つまりどういうこと？

間違ってる、ってこと。男は母の問いに大づかみな答えだけを返して話を打ち切った。クイズはとっくに次の問題に移っていた。どこかの城址の朽ちた石垣が大きく映し出されていた。男は興味を失ったようにパスタを口に入れ、音を立てて啜った。

ソース、まだ残ってるでしょ。母はそう言い、食べ終わった皿を重ねようとした男の手を止めた。

もう食べない。

もったいない。あとはもらうからちょうだい。そう言って男の皿を引き寄せて、食パンでソースを拭って食べはじめた。ふん、と男は鼻を鳴らし、ごちそうさま、とだけ言って洗面所に向かった。

あんたもパンいる？　視線に気づいた母が上目遣いに訊いてきた。

だいじょうぶ。わたしのソースも食べる？

そんなに食べらんないよ。冗談を聞いたように母は笑った。テレビのなかではクイズの優勝者が商品を決めるダーツを投げていた。たわし一年分、と書かれた、パネルの大半の面積を占めるエリアに矢は刺さった。一年分かあ、おれこの一年、たわし使ってないかも。優勝者はそう呟いた。あ、じゃあ商品はたわしゼロ個ってことで……。いやいや、今日からめっちゃ使います、毎日いっこずつ！　その声に、笑いのＳＥがかぶせられた。

　家を出て、大学に近いとはいえ同じ市内で一人暮らしをすることに決めたのは、自分だけがちがう姓を——いまはどこか南の街の大学で教えている父親の姓を名乗っているからではなく、単に、もうすぐ成人するからだった。家から通えるだろ、と言う男を説得したのは母だった。そのことだけで母を許してしまいそうになり、急いで引っ越しの手続きを進め、住民票を移したのは、二十歳の誕生日を迎える前日のことだった。そうやってみずから、ベッドや食器やミステリ小説のように、男と母の家庭から捨てられたのだった。

　地学選択だったんですか。そう尋ねながら、男のことを思い出している。彼は頷いて、でもなあ、と笑う。

　文系だからね、センター試験用の授業しか受けてないし。

　並んで見上げたテレビのなかではクイズ大会が開かれている。もう二年が経った、と不意に思いつく。二年の間にテレビで見ることのなくなったあの優勝者は、ほんとうに毎日たわしを使ったのだろうか。使い切ったのだろうか。科目名も地学Ｉだし、たぶんまったく専門的ではない……。そう呟いてパスタをフォークに巻き付ける。彼はていねいにソースを絡めながら麺を巻き取るから、食後にパンで拭う必要はなさそうだ。

　一九三八年、火星人が地球に攻めこんできたニュース速報を模した音声を流して全米をパニックに——。

　宇宙戦争。司会者の声を遮るように彼は言い、自分がそう答えたことに気づいていないようになめらかに、それまで続けていた会話に戻る。ＳＦ読むの好きだし、くらいの理由で地学にしたもんだから、宇宙のことは点数良かったんだけどさ、地質とか海洋とか、そういうところは弱くて……。彼はちらりと窓のほうを見る。ガラスに寄りかかって宇宙飛行士が座っている。いつか調べたことがある。映画が世界的な人気になって、宇宙飛行士のフィギュアは半年間、宇宙ステーションで過ごした。名前の由来になった人物は月面に立った。どちらにしても、冥王星に比べればひどく地球に近い。

　バリッ。彼はとつぜんそう言う。その視線を追ってテレビを見ると、崖っぷちで揉みあう二人の紳士を描いた絵が画面に映っている。回答席に座る誰よりも得点を稼げば、一位の商品のペア旅行券がもらえるとでも思っているように彼は急いで答え、そのあとでようやく、——していた、架空の武術は何でしょう、と司会者が出題を終える。彼は高校一年のとき、冥王星が準惑星に格下げになった話をはじめる。地学を担当していた物理教師が嬉しそうに、先週教えたことは忘れてください、と言った、その口ぶりを真似てみせる。水金地火木土天海冥、と先週は教えましたが、訂正します、太陽系の惑星は今後、水金地火木、土天海。わたしはそれで習いましたよ、水金地火木土天海。憶えることが一文字少なくてよかったね、と薄い唇の端を皮肉げに上げる。けっきょくぼくが好きだったのは、地学っていうよりＳＦとか、ちょっとオカルトめいたことだったんだと思う。月の裏側に異星人の基地がある、とか、火星には自然にできたとは思えない長方形や人の顔のかたちをした岩がある、とか……。

　それ知ってる、わたし。

　それって？

　火星の人面岩。四十年ほど前に、探査機が火星上空から撮影した写真に、人間の顔のように見える岩が写っている。岩といっても数平方キロの巨大さだ。口をわずかに開け、顔はこちらに向いているが、その目は何も映していないように暗く落ちくぼんでいる。粗い画像で、のっぺりとした顔のパーツはぼやけている。もちろんそれは、たまたま岩の影が描いた陰影を、人間の眼がそういうふうに認識してしまっただけだ。二十年後に送られた別の探査機が撮った写真では、その顔はただの小ぶりな地形の盛り上がりでしかない。

　想像力があって結構なことだ、と男はばかにするように言っていた。監視カメラに写りこんでいた奇妙な動物、インドの錆びない鉄柱、アカシックレコード、かつてのオカルトブームを面白おかしく紹介する番組だった。男はそのひとつひとつについて、時折スマホで情報を検索しながら否定し、おおげさな表情を浮かべる出演者たちを鼻で笑っていた。

別の写真で間違いだって証明されたあとも、画像を詳細に分析したら歯も見えたとか、ちかくにピラミッドみたいなものもあるとか、なにかを喋ってるとか、いまだに人工物だと信じてる人はいるけど、それはぜんぶ目の錯覚か、自分の間違いを認められないだけ、だって。

でもなんかいいじゃん、ロマンがあって。男の言葉を思い出しながら説明すると、彼はそのたどたどしい話をくるみこむように言う。無限の彼方に……と彼は、宇宙飛行士の台詞を真似て、すこし間をおく。さあ行くぞ、といっしょに叫び、ふたりで笑う。声を合わせて笑ったのは久しぶりだ。

水曜日、そのことを思い出して、ひとりで歩きながら微笑む。あの夜は良かった。ふたりで過ごした心地よい一瞬が、あの男が家に通うようになってからの十年ほどの記憶を、遡って浸してくれたようだった。

駅ビルの喫茶店に入り、スマホを触りはじめる。SNSを開き、もう一年ちかく更新のない彼のアカウントの友人一覧から、彼と結婚していた女の名前を探す。彼の最後の更新は、女が投稿した、入籍を報告する長い文章と何枚もの写真をシェアするものだった。そのときに知ったこのアカウントを、毎週のように見る習慣ができ、アイコンのプリクラ画像の端に彼の浴衣の裾が写りこんでいたり、姓が彼と同じものに変わり、そして元に戻ったり、それと同時に画像も、大学の卒業式らしい、濃い化粧と紫のドレス姿のものに戻ったりしたことを知っている。彼の離婚のすこしあと、女の名前を口にしたことがある。彼はそれを嫌がり、その後一度も、彼の前で女の名を呼んだことがない。そのことに、きっと彼は気づいていない。

女の画像も、公開されたプロフィールも変わっていない。カメラロールを開き、一年前の画像を探す。女の投稿をスクリーンショットした画像だ。十画面におよぶその画像のなかでは、指輪の嵌まった薬指を絡めたツーショットがきらきらの加工をされている。女の、おそらく円満なのだろう家族へのありきたりな感謝が綴られている。彼のことを、赤んぼうを呼ぶような愛称で呼んでいる。その愛称を、声に出さずに口にする。もう数え切れないくらい口にしたのに、そうやって呼びかけたことも、一度もない。知りあってから三年半が経ち、身体の関係ができてから半年が経ち、それなのにいまだに彼との間には、サークルの先輩と後輩だったときと同じ数の語彙しかない気がする。

女は、駅直結のデパートで働いている。彼との交際中に働きはじめ、そして浮気相手と知りあった場所だ。一人のとき、たまにこのデパートで買い物をする。女が働いている姿を見たこともある。話しかけて尋ねれば、どうしたらその愛称を彼との間でつかいはじめられるか、教えてくれるかもしれない、と思いつく。でも、平日の昼でも賑わう一階の、壁際にあるカウンターに女の姿は見えない。じっと見られていることに気づいた店員が微笑みかけてくる。

何かお探しですか。

いえ、あの。目が泳ぐ。店員が視線をたどり、カウンターに並べられたボトルのひとつを手に取る。

よかったら匂い、試されますか。無言で受け取り、鼻に近づける。ネロリの香りです。リラックス効果があるので、おうちでゆっくりしたい人におすすめしております。柑橘系のものとしてはこちらも、と隣のボトルを手に取る。

あの……。店員の言葉を遮る。今日は、いないんですか。休憩中ですか、今日は出勤してないんですか、辞めたんですか。そういう言葉を口にしようとしてふと、テレビの隣でほとんど空になったボトルが頭に浮かぶ。

……ネロリのを、ひとつください。かしこまりました、と店員は笑顔を浮かべ、カウンターの下にかがみ込んで箱を出す。

プレゼント用ですか?

いえ、自分で。

会計をする。ポイントカードを持っているかどうか訊かれる。すぐに発行できると言われるが、断る。店員がカウンターから出てきて、紙袋を手渡してくれる。深い礼。頭を上げた店員と微笑みあって背を向ける。ありがとうございました、ともう一度言われる。

数歩進んでからため息をつく。けっきょくこうして、普通の客としてルームフレグランスを買って帰ろうとしている。あそこで名前を口に出すことができていれば、そして辞めたのではなくすこし席を外していただけだったなら、もしかしたら、はじめて彼女と知りあうことができたかもしれない。関係をとりむすぶことができたかもしれない。彼のことを話せたかもしれない。

デパートの前の交差点で信号待ちをしていると、母からメールが届く。先輩とは仲良くやってる? そのあとも文章が続いているようだが、待ち受け画面に表示されたプレビューはそこで途切れている。毎月の、家賃と生活費を振り込んだという報告のメールだろう。デパートに戻ってＡＴＭで残高を確認し、必要なぶんだけ引き出して、家に帰る。

二リットルのペットボトルから直接水を飲みながら、彼が貸すともあげるとも言わず、忘れ物のように置いていった本を読んでいると、ローテーブルの上でスマホが震えて大きな音を立てる。きょう、予約がキャンセルになったから、おじゃましていいかな。彼のアルバイト先は歓楽街のはずれにあるちいさなバーで、毎週の金曜日と、予約の入った日に勤務している。物価の安いこの街では、その程度の収入でもじゅうぶんに暮らしていける。彼は九月に大学を卒業したあとも家賃の仕送りを受けているらしい。ピーマンを買ってきてください、と返事をする。たまねぎとソーセージはあるから。ケチャップは? 笑う顔の絵文字を添えた返事がくる。いらない。はーい。

部屋の匂いを、あの女の働く店で買ったものに変えたことに、彼は気づかない。レモンバーベナからネロリに変わったことにも気づかない。ボトルが変わったことにも気づいていないかもしれない。匂いなんて気にしていないのかもしれない。彼がどういう感情を抱えてこの部屋に通っているのかがわからない。なぜ大学の途中で、それも二年生の六月という中途半端な時期に、実家と同じ市内で一人暮らしをはじめたのか、彼に話したことはない。詮索してこないことに居心地の良さを感じていたのに、いまではその理由を尋ねられないことを不満に感じている。

今日の予約、まえに話したことあったっけ、市役所の……。食後の歯磨きを終えて、彼はテレビをぼんやりと見上げながら話しはじめる。テレビのなかではサッカーの試合が行われている。自分の部屋で観てくださいよ。じゃあハーフタイムまで観させて。そういうやりとりをしたことを、ふたりともすぐに忘れてしまい、もうすぐ試合が終わろうとしている。三点差がついていて、おそらく、もう勝敗が覆ることはない。どこの部署だったかな、とにかくすごく偉いひと。

よく来るひとですよね、お子さんが身体弱いっていう。

そう、で、その子が発作を起こしたらしくて。

大丈夫なんですか?

さあ、そこまでは聞いてない。

その子供についての話は試合よりも早く終わる。ここは少し時差のある国で行われていた試合だ。終わったときにはもう、日付が変わろうとしている。日付が変われば、二人が迎えることのなかった、最初の結婚記念日だ。けっきょく一度も話題に挙げないまま、その日を迎えようとしている。すぐにはじまったスポーツニュースを観ながら、彼は試合の感想を話している。監督の戦術を批判する声がネット上では多く、しかし彼はそれには同意できない。まあワールドカップまであと三年もあるからね、この時期の試合で調子が良かったら、むしろピークの置きどころをミスしたっていうことだよ、まだ就任して半年だから、批判するのは早い……。彼は饒舌に話しつづける。スポーツニュースはすぐに終わり、次の番組がはじまる。いま日付が変わったのだ、と気づいて、彼の話は徐々に尻すぼみになっていき、お風呂借りるね、という一言で終わる。

順番にシャワーを浴びてベッドに入る。どちらからともなく手を伸ばす。部屋は暗く、身体が布団を擦る音が耳にうるさい。彼が身を起こし、布団のなかに空気が入り込む。汗が冷える。不明瞭な発音で彼が何かを言う。喉から自動的に声が出る。子供がいるから、という母の声が耳に蘇る。母が押し殺し、ある瞬間からスイッチを切り替えたように叫びはじめていたのと同じ声が喉から出ている。伸ばした手を掴まれそうになるが振り払う。腰をなぞる。薄い胸板を撫でる。首に太い筋が浮かんでいる。魅力にとぼしい凡庸なこの身体を、暗闇のなかで触るときだけは愛おしいと思う。親密な愛称で彼を呼ぶことが自分にはできないと、獣のような声を上げている間だけは忘れられる。果てるとき彼は、いつもと同じように、好きだと叫ぶ。もう何年も前から、それが口癖になっているのだろう。

さっきまでは気にもならなかったお互いの身体の匂いが鼻につくようになる。おそらく布団のなかは二人の体液で濡れている。でも体温と同じ温度であるうちは気づかない。冷えきる前に彼は眠りに落ちている。部屋の中で明るいのは電源タップのスイッチのオレンジだけだ。窓の向こうも暗い。地表の街灯の光がぼんやりと見えるが、部屋の中までは入ってこない。宇宙飛行士の影だけがくろぐろとうずくまっている。隣に横たわる暗い塊をじっと見る。すこしずつ目が闇に慣れてくる。それでも、彼の顔の輪郭はぼやけ、肌の精彩など見えず、パーツのひとつひとつも曖昧だ。寝息が聞こえる。口をわずかに開けている。目は暗い影の内に落ちくぼんで見えない。

作中で、あの宇宙飛行士はどの星まで行っていただろうか。何か言っていただろうか。無限の彼方はきっと、火星より遠い。目指す場所まで背中のウィングで飛びながら、火星の近くを通ることがあっただろうか。そして地表の人面岩と目を見交わしただろうか。そのうっすらと開いた口からこぼれでた囁きを、聞いただろうか。

彼の首筋は暗闇のなかで見えない。目を近づけても、ただ暗さが増すだけだ。何度も口にした愛称で、はじめて呼びかけようとふと思う。でも声は出てこない。かわりに首筋に唇をつける。汗ばんでいる。じっとりとした、唇にまといつく汗だ。この男に向かって燃える感情などないのだと思い出す。ただ、流れていった時間を取り戻そうとするように強く吸う。男は不快げに唸った。

〈了〉

わたしたちは、なぜひとを好きになるのでしょう。
どうして、ひとを愛するのでしょう。
なぜ、命を賭して夢をみるのでしょう。
それが胸を刺す閃光のようなものと知っているのに。
頭の隅で永遠など無いとわかっているのに。

大恋愛。
それは儚い時間を生きるわたしたちが、心を微かに震わせながら、
底なしのくらやみの中を堕ちてゆくこと、そのものです。
その情念は止まることなく、猛スピードで転がりながら
時限爆弾のように、いつか花開く時を待っています。

本特集は、そんな瞬間を小説の中に掴もうとした13人の女性作家と、
現代の日本を生きるひとたちが綴る、崇高な魂の記録です。
右ページには小澤みゆきによる紹介文が、
左ページには匿名の著者による文章が
記載されています。
さまざまな声を通して
「愛」を見つめるきっかけになればと思います。

わたしは、あなたを、愛したい。

特集

大恋愛

文　小澤みゆきと一三人の恋するひとたち

写真　小澤みゆ

実際、もし本当に、彼が私のことを好きではなく、もう彼には二度と会えないなら、そしてもし彼の幸せのために尽くすことが私には禁じられていて、私には愛の喜びを味わうことも、幸せを与え、与えられることも永久に禁じられているならば、人生はとても耐えられるものではないと思えた。

アン・ブロンテ「アグネス・グレイ」、侘美真里訳、『集英社文庫へリテージシリーズ　ブロンテ姉妹』収録、集英社

アン・ブロンテは、『嵐が丘』で知られるシャーロット・ブロンテと、『ジェイン・エア』で知られるエミリ・ブロンテの妹である。アンは近年再評価が進んでいる人物だそうで、私自身も姉二人の作品を読んだことはあったが、アンのことは存在すら知らなかった。偉大な小説を書いた姉たちを持つ彼女も小説を書いていたのか、と気になって、この本を手にとった。

そんなアンの長篇小説である『アグネス・グレイ』。主人公アグネスは牧師の娘。「真実が語られる記録には必ず学ぶことがある。」という彼女の語りで物語ははじまる。家庭教師(ガヴァネス)として働き、貴族の家庭での教え子たちとの交流を通して上流階級の世界を知るも、エドワードという田舎の牧師と恋に落ち、結婚する、というお話だ。正直、最初は地味な印象を抱いた小説だった。その筆致は淡々としていて、たとえば姉たちの作品にあるようなドラマティックさは一見『アグネス・グレイ』には見られない。アンは「一歩引いたところから社会全体を見つめる〝静かなる傍観者の目〟(同書・桜庭一樹氏による解説より)」を持っている女性で、その視線が小説にも存分に表れていると言える。

アグネス・グレイはとても慎み深く、道徳を重んじる女性である。『ジェイン・エア』のように階級差を乗り越えるロマンスに身を投じるわけでもない。しかしよく読むと、アグネスは観察者の視点を超えて、みずからを語り、情熱的な一面を覗かせるところがある。エドワードへ思いを募らせ、その思いを詩に綴るのだ。そして中立的な文体から飛び出して、彼の愛に本当に値すべき人間は自分である、とまで言い切る。私はこの大胆さに、アグネスもまた大恋愛をしていたのだと感じる。

ロマンスはおとぎ話の中だけにあるのではない。生活の中にも存在するのだ。誰もが〈ヒロイン〉なのである。

Anne Brontë

いつか大恋愛と呼ばれる日々について

大恋愛とは、愛し合う二人が結ばれるまでの悲喜交々（ひきこもごも）を指す場合が多い。映画や小説においても、その後のストーリーは大抵描かれない。たとえばそれまで何の接点もなかった二人が、お互い出会った瞬間に一目惚れをして紆余曲折を経て結ばれるとか、不祥事を隠蔽する巨大組織相手に孤軍奮闘する恋人を近くで支えるとか、病に倒れた恋人の笑顔と健康を取り戻すため献身的に尽くすとか、いかに劇的なエピソードもやがては日常へ繋がっていく。結ばれた二人がその関係をよりよいものとするため、日々努力を重ねる過程は濃密かつ繊細で、創造的でもあり、それこそ大恋愛と呼ぶにふさわしいものではないかと、ハッピーエンドのその先で結婚生活を営む私は考える。

結婚して改めて気がついたことは、同じ人を絶え間なく見つめ続ける行為は、想像以上に面白いということだ。私は恋人期間も含め十年以上一人の人と共に過ごしてきたけれど、未だに飽きるということがない。今より少し若かった頃は、相手の何もかもを知りたかったし、自分のことも知り尽くして欲しかった。しかし、それが一生かかっても叶わないことを知り、最初は寂しく思い、今は嬉しく思っている。昨日よりも今日、今日よりも明日の私の方が彼のことを深く愛することができるから。

私にとって彼のどんな表情も、常に新鮮な感動をもって胸を突く。無防備な寝顔、いたずらが成功した時の笑顔、私が彼の嫌いなトマトやピーマンを料理に使った時の膨れっ面、クイズ番組を見ながら正解を言い当てた時の得意げな顔。どれもが私だけに向けられる顔だ。共に生き、お互いが相手にとって唯一無二の人になっていく平穏な日常こそが、長い長い大恋愛なのだ。私は自分の人生の最期には、「大往生だね」と共に「大恋愛だったよね」と言われたい。

燃え上がるような激しさや大き過ぎる困難、運命的な巡り合わせなど、真の大恋愛の必須項目ではない。丁寧に積み重ねられた日常に勝るものはないから。

ただ先に例に挙げた劇的なエピソードの全てが、私たち夫婦の恋人時代から現在に至るまでの実話なので、そういう経験をした人だからそんなことを言えるのだと言われてしまうと、何一つ反論はできないのだけれど。

愛は恐るべき怪物だった。毒を盛り、刃物で刺し、泥の中に突き倒し――さあ、これでもう死んだだろうと思う――しかしそれは立ち上がり、血と泥にまみれた恐ろしい形相でこちらに向かって歩いてくるのだ

ジーン・リース『カルテット』、岸本佐知子訳、早川書房

どこにも行き場のない女性のやるせなさ。人生に翻弄されて、酒を飲み、破滅していく、それでも愛にすがりつきたいと思う。ジーン・リースの小説を読んでいると、そのダメさ、ままならない哀切にばちばちと惹かれている自分に気づく。私にとってジーン・リースは、誰よりも二〇世紀という時代を狂おしく生きた、自分に〈近い〉と感じられる、リアルなヒロインだ。

『ジェイン・エア』を〈屋根裏の狂女〉バーサの立場に視点を変えて物語を再構築した長篇『サルガッソーの広い海』や、家賃を払えずアパートを追い出される女性の短篇「ジャズと呼ばせておけ」など、ジーン・リースは自身の人生を色濃く投影した作品を発表してきた。特に『サルガッソーの広い海』は、クレオール語圏出身というバーサの出自にみずからを重ね、古典的な愛の物語の欺瞞を裏側から暴き出した、批評的な作品でもあり、彼女の集大成的な作品として知られている。

『カルテット』は、そんなジーン・リースが若き日に発表した小説である。イギリス領ドミニカ国からロンドン、そして大陸ヨーロッパへと流れ着いたリースは、異国の地でのままならない人生を主人公マリヤに重ねた。コーラス・ガールをしていたマリヤはポーランド人の夫が詐欺容疑で逮捕され、途方に暮れてしまう。そこに手を差し伸べたのがパトロンのハイドラー夫妻で、若いマリヤを自分の家に住まわせるのだった。やがて夫ハイドラーはマリヤに関係をせまり、妻ロイスは、彼の浮気を黙認しつつ愛憎を抱いてマリヤの世話をする。夫婦間の愛のゲームにまきこまれたマリヤの運命は悲しみに満ちて、転がり落ちていく。やがてパリの安宿を点々とさすらい、アルコールで破滅していくさまは、リースのその後の苦難の人生を予告しているようでもある。

ジーン・リースは、いまふうに言えば「ダメ女」だったのかもしれないが、私はそのダメさにどうしても魅力をおぼえずにはいられない。人生にポジティブに抗い、立ち向かうことが是とされがちな世界の中で、どうにもできずに波に流されてゆくジーン・リースの姿は、胸に迫るものがある。そのダメさを、美しい堕落を、どこまでも愛おしいと思ってしまうのだ。

Jean Rhys

大恋愛

あらゆる経験が
フランネルのみっちりとした目に濾され
順列のアルファベットのなかに
吸い込まれるようにして
落ち、落とされてゆくとき
わたしたちはそのウェルメイドな予定調和に
慰められるようでいて
同時に失望をも膨らませていたのだろう

縮約しかねるものが片端から捨て去られてゆくこと
その取り返しのつかなさのために

セックスの最中ですら
ことばを経由して感じようとするわたしたちは
いまになってどのように
ほんとうに
出会いなおせるのだろうか

永遠の不感症を治癒できると思ってもみなかった
あなたとわたし
つがい、すれちがいを共有するとき
決死の投擲(とうてき)はすでに行為されていたのだ

たがいの輪郭をたしかめあいながら
こんどこそほんとうにつながりたいと
泣きながらだだをこねながら

iPhoneから送信

「そんなの大嘘だわ。少なくとも三人は知ってる、あなたが死んだら悲しむ人」
「誰?」
(中略)
「三人目は——わたしよ」

マーガレット・ミッチェル『ロスト・レイセン』、訳者クレジットなし、講談社

この作品は、マーガレット・ミッチェルの生前に発表されたものではなく、ヘンリー・ラブ・エンジェル(すごい名前だ)という男性に宛てて書かれた、極めて個人的な作品だという。マーガレットとヘンリーは大変親しい仲だったが、結ばれることはなかったらしい。この作品、そしてマーガレットとヘンリーの写真や手紙といった膨大な資料は、ヘンリーの息子により死後だいぶ経ってから発表された。それまでヘンリーという人は、マーガレット・ミッチェルの伝記の中でもほとんど目立たない存在にすぎなかったのだという。『ロスト・レイセン』という作品自体は、短く、あきれるほどドラマティックな小説である。わずか一六歳のマーガレットが書いたものだというのもうなずける。決して巧くはないけれど、美しく強い意志を持った若い女性像というのは、『風と共に去りぬ』のスカーレット・オハラに引き継がれているのだと、誰もがすぐにわかる。主人公である船乗りの男は、美しいヒロインを愛し、守ろうとするが、悲劇に襲われてしまう。レイセンという島が、火山の噴火によって海中に沈んで消えるという筋書きで、これもかなり劇的というか陳腐というか、ツッコみたくなるのだが、そういう状況で恋心がめぐってゆく。

そしてこの本は、小説よりも後半の解説と図版が面白い。マーガレットとヘンリーの写真がたくさん掲載されている。ミッチェルは短い髪にお洒落なドレスをまとい、スーツ姿のヘンリーと仲睦まじく並んでこちらを見ている。二人はノリノリで決めポーズを取っていて、まるで映画スターのよう。マーガレットとヘンリーは結婚してもよかったはずだった。それほどお互いを想いあっていたはずなのに、様々なすれ違いからそれは叶うことはなかった。しかし十六歳の乙女のマーガレットが、ヘンリーのために書き下ろしたのは、私的な雰囲気を帯びながらもきちんとした形を保った「物語」だった。レイセン島の沈没とともに激烈に沈んでいった愛は現実のそれに重なる——ひとりの男、そして女が、いた。

Margaret Mitchell

愛の生産

セックスをして、おっぱいを吸っているのが誰に変わっても、思い出されるのは一六歳の頃の彼だ。大恋愛とは何なのか、私は正確に定義することができない。けれど、大恋愛をしたことがあるか？　と問われると、頭をよぎるのは彼のことだ。おっぱいを吸うのが赤ん坊に変わって、自分のそれが性的なものではなく食糧になっても、不思議と変わらず彼のことを思い出してしまう。

田舎の片隅で高校生だった私たちは、毎日ただひたすらに互いのことを考え続けていた。田舎というのは本当に何もない。田んぼと、蓋のない農業用水路と、イオンくらいしかない。音楽といえばＪ－ＰＯＰで、娯楽といえばカラオケ。そんな何もないところで二年ほどお互いの時間や思考を共有し続けていると、いつのまにか自分と彼の境界線が分からなくなるほどお互いが溶けていった。

あれから倍の時間を生きてしまった今、思い浮かぶのは、細切れの風景が多い。初めてメッセンジャーをして、ブラインドの隙間から見えた朝日。いつまでも一緒にいたくて何本も電車を見送った、駅から見る夕日。夜中に家をこっそり抜け出して見た、遮るもののない星空。その瞬間は確かに二人が主人公で、景色まるごとを愛し、歌や本の真似事ではない感情を味わい尽くした。

世の大半がそうであるのと同じく、終わりはあっけないものだった。東京の大学に進学した私は、都会に溢れる〝文化〟を貪り食い続けた（イメージは暴走したエヴァが仲間のエヴァの腹わたを引き千切って食べる様子）。欲情や嫉妬といった新しい感情を自分の中に発見して快感を覚えているうちに、彼とは疎遠になった。

年齢に追われ結婚すると、あれだけ喰い散らかしていた感情や〝文化〟だと思っていたものはあっさりと影を潜めていった。最後に唯一残ったのは、自分は誰かを慈しみ想うことができるという一六歳の純粋な自信だった。

夜中、乳児の泣き声で目を覚ましおっぱいを口にふくませる。吸われていると自分の輪郭が曖昧になる。どこまでも身体が拡張している感じがする。授乳しながら子供達の手を握る時、ふと、あぁこれは、と思った。一六歳で生み出した愛情の芽は、いつしか絶対に守ってみせるという決心にまで育っていた。今なら愛という字に偽善を感じることもない。ひとりで愛を生産することができる。彼とは二度と会うこともないだろう。再会する舞台装置としての機能を終えた田舎は、もう帰る意味のない場所に思えた。

恋をするというのは、自分の過去をそのまま別なだれかに差し出すことなのだ、と彼女は考えた。自分の荷物がかさばってきて、ゆるんだ紐をひとりではどうにもできなくなってしまうような、そんなことなのだ。

ゼルダ・フィッツジェラルド「ワルツはわたしと」、青山南訳、
『ゼルダ・フィッツジェラルド全作品』収録、新潮社

ゼルダ・セイヤーは一九〇〇年にアメリカ・アラバマ州モンゴメリに生まれた。バレエに打ち込む美しい少女はダンス・パーティの華となり、作家スコット・フィッツジェラルドから求婚を受ける。やがてフラッパーとして狂騒の二〇年代（ジャズ・エイジ）を生きた彼女は、夫とともに時代の寵児となる。ニューヨークが、ヨーロッパが、世界が彼女をまなざしていた。しかしスコットとの仲は次第に不安定なものになり、ゼルダは精神的に追い詰められていく。一九四八年、入院していた精神病院の火事で亡くなった。『ゼルダ・フィッツジェラルド全作品』には、そんな彼女が人生で見聞きしてきたものと感じたこと、そして想像力がぎゅっとつまっている。ある舞台女優の過ぎゆく生涯を描いた「フォリーズの風変わりな娘」、勝ち気な女性ヘレナとイギリス皇太子とのロマンス「皇太子のお気に召した娘」、そして唯一の長篇小説『ワルツはわたしと』。ゼルダの小説は、さっぱりとしている。お酒で例えるなら食前のシェリーみたいに、からだの中に透明に入ってきて、少しだけ弾けて消えてゆく。

これらはゼルダがひとりで書いたものであるにも関わらず、スコットとゼルダの共作、あるいはスコットの名義で発表された。彼女は『ワルツはわたしと』を発表したとき、その自伝的内容をスコットに激しく非難された。自分の実績を、「声」（ヴォイス）を、剥奪され続けた彼女の気持ちはいかなるものだったのか。ゼルダは小説以外にも、バレエや絵画にも取り組んでいた。夫の「素材」としてではなく、ひとりの人間として、自らを表現する方法を探し求め、人生をさすらった。

しかし彼女の小説を読むとき、我々は必ずしも、物語とゼルダ自身を結びつける必要はないはずだ。ページをめくれば、そこには淡々と綴られる上流階級の女や奔放な少女たちの恋や、孤独や、死がある。その文章が湛える、きりりとした溌剌さに、ただうっとりとするような、そういう読み方もあっていいだろう。私はゼルダの描く、余計な飾りのないさみしさに、陶酔をおぼえる。

Zelda Fitzgerald

『ショールの女』

シンシア・オジックの短篇「ショール」を、おりに触れて読み返す。わずか十二ページの、掌篇といってよい短さだが、私は小説を書くときいつも、私にとっての「ショール」をめざして書いているように思う。私はこの作品を収録した本を、二〇一六年の三月二十五日に買った。

私がオジックのことを知ったのは、その三年あまり前に読んだ早川敦子『世界文学を継ぐ者たち』で言及されていたからだ。すぐに図書館で借りはしたが、私はその作品を手元に置いておきたかった。しかし、一九九四年におそらく少部数で刊行され、文庫化もしていない本を手に入れるのは容易ではない。当時住んでいた地方都市の、そう多くない古書店を巡っても、見つけることはできなかった。

――そんな本があるんだ、と私は言った。上京してきてすぐ、古い友人が呼びかけた小規模な飲み会のあと、会の間はテーブルの反対側にいてほとんど喋りもしなかった彼女と、たまたま帰りの方向が一緒だという理由で二人で歩いた三十分ほどがあった。愛読書を問われて私はオジックの名を挙げ、といっても持っているわけではなく、三年くらいずっと探してるんだけど見つけられずにいる、と言った。すると彼女はあっけらかんとした口調で、買っちゃえばいいんですよ、と言った。

買いたいけど見つからないんだよ。

そうじゃなくてさ、と彼女は焦れったそうに言う。わたしの実家、長野の山奥で、お隣さんまで徒歩三十分、みたいなとこにあるんです、ホームセンターや本屋さんなんてなくて、だから我が家じゃ家具とか本とか、なんでもぜんぶアマゾンで買ってた、ジャンプだってわたし、新聞とかと同じ、ふつうに家に届くものだと思ってた。

えー、それはぼくの地元より田舎だな、と私は笑い、それからしばらくお互いの郷里の話をして交差点で別れた。それまでアマゾンで本を買ったことはなかった。家まで歩きながら検索してみると、さすがに新品の在庫はなかったが、マーケットプレイスに五点の出品があった。

読むためだけなら図書館で借りればいい。コピーや書写も容易な小品だ。しかし私はこの、「ショール」という作品と同じ空間で歳を重ねたかった。「器は、用いるために買うこともあるが、それとともに暮らすために購うのである。本も同じだ。」と若松英輔が書いていて、私はこの言葉に全面的に同意する。だからずっと探していたのだ。

飲み会の二日後、アマゾンからプロモーションのメールが届いた。リスト化されたおすすめ商品のいちばん上にオジックの本があった。リンク先のページは二日前とほとんど同じだったが、一つだけちいさな変化があった。マーケットプレイスの出品数が、四点に減っていたのだ。

彼女が買ったんだ、と思った。もちろん誰が注文したかなんてわからないし、酒に酔った帰り道の会話を彼女が憶えていたというよりも、偶然ほかの人が買ったというほうがあり得そうな気もするが、私はそう信じた。そして私も、マーケットプレイスのうちいちばん安いものを注文した。その本は数日かけて私の家に届いた。私はすぐに「ショール」を読み、翌月にまた読み、この文章を書いている今にいたるまで、もう何度読みかえしただろう。

そして私は、ある習慣を身につけた。何か読みたい本があるとき、まずアマゾンをチェックする。中古で安く出品されていれば買う。送料込みで定価と同額程度なら街の書店に行く。あるいは図書館で借りる。きっとそれは、わざわざここに記すまでもないような、ありふれた行動だ。しかし、地方都市で、通販を利用する習慣のない家族のもとで育った私にとって、それは大きな変化だった。

これはあくまでも、私が、ある本を入手した経緯についての、ひとつの挿話に過ぎない。彼女とはその後会っていないし、連絡も取っていない。ただ彼女は、私の習慣を変えた。きわめて便利なその習慣を、きっと手放すことはないだろう。

――ステラ、寒く、寒い、奈落の寒さ。

「ショール」は、それそのものではほとんど意味をはこばない断片的な一文ではじまる。そして私はアマゾンで本を買うたび、この苦しげな言葉のリズムに触れるたび、彼女のことを思い出す。私の家にこの本を導いてくれた彼女の気配は今も、私の習慣に、そして私の本棚に残っている。

ほどなくふたりは互いに愛し合っていること、幸せなこと、満足していることを再び確かめ始めた。それにしても、愛することはどうしてこれほどに苦しく、幸福はどうしてこれほどの痛みを伴うのだろうか？

ヴァージニア・ウルフ『船出』下巻、川西進訳、岩波文庫

『船出』は、ヴァージニア・ウルフのデビュー小説である。若い女性の恋愛小説であり、海をまたいだ冒険小説でもあり、女性の自己啓発書でもある。新しい時代に新しいことばを求めた、文字通りウルフ自身の船出の書だ。

主人公は二四歳の女性・レイチェル。恵まれた環境で大切に育てられた箱入り娘で、ピアノを弾くことが好きな女の子。物語はそんなレイチェルが、貿易商を営む父親や叔母夫婦とともに南米への旅に出るところから始まる。旅の過程での新しい出会いを通して、レイチェルは世界を知り、苦悩し、成長していく。やがてヒューウィットという若者と恋に落ちる。

本書はデビュー作ということもあり、代表作『ダロウェイ夫人』『灯台へ』といった作品に見られる「意識の流れ」はあまり見られない。地の文があり、会話文があり、起承転結があり、というように、文体的には一読すると「ふつうの」小説のように読める。しかしキャラクターの造形や死生観といった、物語を立ち上がらせる要素は後のウルフ作品に通じるものばかりだ。貨物船でレイチェル一行と少しだけ旅をともにする、上流階級の「ダロウェイ夫妻」の登場などはその最たるものだろう。

レイチェルとヒューウィットは、短い時間で熱烈に恋に落ちていく。ふたりの、直情的でおおげさなやりとりに若さを感じずにはいられない。あのウルフが、こんな大恋愛を小説で描いていたなんて！　シェイクスピア、オースティン、ミルトンといった作家たちの影響が感じられつつも、レイチェルの世界に対する新鮮なまなざしはみずみずしく、小説家として生きていこうとするウルフの覚悟が静かに感じられる。

本作を発表したウルフは当時三三歳。やがて四〇代でモダニズム文学の傑作を次々と世に送り出したウルフの出発点が、二四歳の女性の、自我の発露と恋の物語であったということは興味深い。恋をすること、結婚すること、女性として生きること。時に怒り、もがきながらも、ウルフは文学という大海原を力強く突き進んでいく。

Virginia Woolf

窓

台風の夜だ。ニュースでは「夜には一気に世界が変わる」なんて騒がれている。〝窓〟の向こうでは恋人が眠っている。寝苦しいのか何度も寝返りを打つ音がする。世界が変わるほどの台風とはどんなものだろうか。〝窓〟越しの世界からはまだ風の音すら聞こえない。でも、そんなものがあるとするならば、お願いだから世界を変えてほしい。

今の恋人と付き合いだしたとき「私はついに真実の愛を手に入れたのだ！　こんなに優しくて真面目で見た目もタイプで仕事もできて、何よりこんなに私だけをベッタベタに愛してくれる人なんていない！　私の世界は変わったのだ！」と思った。それが甘かった。あまりの幸せや前の恋愛とのギャップに油断しすぎていた。

彼は優しすぎる人だった。というか、人たらしなのであった。

決して感情的にならず、何事にも物腰柔らかく対応し、職場ではよいムードメーカーであるようだ。友達も多く、私と共通の知人との話題にもよく登場する。誘われれば飲みに行くことも多い。たとえそこに元カノがいようとも……。

付き合って三日目、私は早速不穏のタネを見つけた。舞台はもちろんツイッター。これぞ現代の恋である。彼のアカウントのお気に入り欄に登場する一人の女性、と思しきアカウント。そのツイートはうまく言えないが、どこか誰かに向けたようなニュアンスがあり、それにお気に入りボタンを押すことは限りなく個人的にメッセージを送るようなものだと感じた。頭の後ろがざわざわした。

半年後、こちらに何も言わずに飲み会に行った恋人を不審に思い問い詰めると、そのやりとりをしていた人物は元カノであることが判明した。私の世界は変わらなかった。

それからずっと私たちは、たびたび台風のような激しい喧嘩を繰り広げている。今回こそは何か変わるかもしれない、と思い必死に自分の気持ちを伝える。けれど大抵めちゃくちゃになるだけでうまくはいかない。いつまでも心は荒れたままだ。

それでも、この台風が本当に一夜にして世界を変えてしまったら、今度こそ彼のことが信じれるようになるかもしれない。だからどうか世界を変えてみてください。

なんて期待してみても、台風はこちらのことなど素知らぬ顔で通りすぎ、あとはただ、やがて来る新しい朝が美しいだけである。君はその美しさを見るのか？

じっと〝窓〟を見つめた。

彼女が水に降りていくにつれ、わたしはその水の冷たさを感じて震え、自分がいかに彼女を愛していたかを強く思い知らされた。

ウィラ・キャザー「ネリー・ディーンの歓び」、利根川真紀訳、『新装版レズビアン短編小説集』収録、平凡社ライブラリー

「ネリー・ディーンの歓び」は、女性同士の愛情、そして連帯の物語だ。ヒロインのネリーは、天真爛漫で美しい少女。語り手は、教会の聖歌隊の活動を通してネリーと出会い、彼女に振り回されながらも惹かれてゆく。ネリーには両親がいないが、そのかわりに三人の女性が彼女を大切に育てている。そして少女時代から時が経ち、語り手はとある人物に会うことで、ネリーへの一層の愛情を知ることになる。シスターフッドと、人を想う美しさに満ちた、タイムレスな短篇小説だ。

ウィラ・キャザーは一九世紀末〜二〇世紀前半にかけてのアメリカの国民的作家。一九二三年にはピュリッツァー賞を受賞した作家として知られる。

初めて「ポールの場合——気質の研究」を読んだときは衝撃だった。同性愛/クィア文学として知られるこの短篇では、思春期の、社会に適応できない少年のままならなさに胸がしめつけられる。また「トミーに感傷は似合わない」の、主人公の女性が男性のようにふるまう様子の、既存のジェンダー規範からの解放はとてもさわやかだ。テーマも描き方も現代的で、およそ百年前に書かれていた物語とは思えない新鮮さがある。レズビアン小説というよりも、女性同士のささやかな友情を活写しているという方が近い。この時代のアメリカにこんな幸福な作品が存在し得たことに、素直におどろいた。

キャザーは、プライベートでは女性と親しい関係にあり、雑誌編集者のイーディス・ルイスとは長年に渡り共同生活を送っていたという。また『レズビアン短編小説集』解説によれば、「ネリー・ディーンの歓び」は年上の作家セアラ・オーン・ジュエットの影響を受けているらしい。女性たちとの繋がりの中で、キャザーは豊かな物語を編み出した。日本語に翻訳された作品で手に入るものは少ないが、前述の『レズビアン短編小説集』と『クィア短編小説集』(ともに平凡社ライブラリー)では四つの短篇を読むことができる。

Willa Cather

帰り道のこと

■␣2019/08/25 20:09[面白そう！読んでみたいな]――。Instagramで読んでる本を載せたらメッセージが来た。この人と会ったことはないけど、Twitterも相互フォローだし、確か共通の友達も多い。DMというクローズドな場でのやり取りといっても、まあそんなに、警戒する必要もないから普通に返事。確か、載せたのは数年前からウオッチしてて一緒に仕事をした先生の編著本だったとおもう。少し前に出て、話題になった本でもないし、反応があると思わなくてちょっとビックリ。嬉しかった▼私は、空気が読める時と読めない時がある。自分ではそうは思わないけど、好きなことを話す時は空気が読めないし、テンションが上がって支離滅裂になる。その本のどこが好きか、一緒にした仕事のリンクとか貼って、先生の尊敬できるところを長々と返信した。20:15[そうなんだ笑]。あれ？反応が薄い。20:16[ほんとに好きなんだね！]。はい、そうです。20:16[～ちゃん、いつもツイートとか元気で面白いよね。]急に私の話になったな……、褒めてるんだろうか。20:17[今いくつなの？]。歳？本の話はどこに行ったんだ。20:17[若いねー。僕なんかもうおじさんだよ]。あんまり興味がない。20:18[前から思ってたけど面白い子だよね]。全くそんなことはないけど……。あとちょっと上から目線でイラっとする。歳は上だけど会ったことないしろくに話したこともない。20:19[1回話してみたいな。今って彼氏いないよね？]。ああ、そういうことか。20:20[じゃあ飲みに行けるね]。典型的だ。というか、最初の、最初の本の話はどこに行ったんだろう。面白い人じゃなさそうだし丁重にお断りしよう▼20:32[なんで？好きな人がいるの？]。いや、あなたに興味がないからとは言えないけど。20:35[さっきの本書いた先生が好きとかw]。出た、すぐに恋愛的感情に変換する人だ。思えば昔から、男女ってだけで恋愛感情に置き換える人が苦手だった。こういう人は築けたであろう信頼とか、異性というだけで関係構築の可能性をシュリンクさせていて勿体ないとすら思う。尊敬の先に、というのもあるとは思うが、まず人間関係に男女かどうかは関係ないのに。辟易する。けど一般論として、彼のほうが「普通」だ。コンパとか彼氏とかセフレ関係とか、「女子会」というものの主要トピックから外れたことはない。だから、全部、機嫌を損ねないように返信した。共通の友達だって多いし私は空気が読める。もうすぐ家につく。もうこの人からの連絡は無視しよう。

ああ、神さま。わたしは何ということをしてしまったのだろう。こんな幸福をどうして自分から棄てたのだろう。この人は自分を理解してくれたただひとりの人だったというのに。

キャサリン・マンスフィールド「姫茴香(ディル)風味のピクルス」、西崎憲訳、『マンスフィールド短篇集』収録、ちくま文庫

短篇の名手キャサリン・マンスフィールドの小説に出てくる人々は、いつもどこか、ふしあわせだ。ふしあわせというと大げさかもしれないが、幸福の状態ひとつとっても単純ではなく、不幸の陰が常に忍び寄る。それは例えば代表作「幸福」で、生の幸福感に包まれた主人公が対面する、予想斜め上の結末にも現れている。短篇という小さな世界の中で、常に人のこころが揺れている。また、はっきりとレズビアン的な色を帯びた「しなやかな愛」では、主人公の「わたし」は不幸でこそないものの、希望と絶望のあいだを行ったり来たりする様子が、わずか三ページ弱の文章の間で展開されているのには驚かされる。ある種のスケッチとも言える作品の数々は、ドラマティックとは言えないかもしれない。いわゆる恋愛小説にありがちな、波打つエクスタシーはマンスフィールドの小説にはあまり見られない。けれども、人の心の機微、都市に生きる心の空虚さは、現代においても全く古びることはない。ヴァージニア・ウルフが「嫉妬を覚えるほど」だったと言っているように、決して長くはない物語の中に溢れる、詩情の豊かさは唯一無二のものだ。

「姫茴香(ディル)風味のピクルス」は、六年ぶりに再会した男と女の物語だ。お互いの心情を察しながらも、取り繕い、駆け引きし、昔を思い出しては、言葉を発する。おそらく男のほうが、女を強く愛していたのであろうことが言葉からはわかるのだが、それがフェイクであるかもしれないと女は訝しむ。わずかな間と会話の間に、人物たちの思いは波のように流れる。男と女の間の視線の流れ、何気ない仕草、絶妙な空気感は、まるで映像を見ているようだ。途中途中に挟まれる、物語の本筋とは関係ないカットも示唆的すぎないのがいい。余韻を残さずスッと終わる幕引きも見事だ。珠玉の小品、という形容がまさにふさわしい。男と女が話している。ただそれだけなのに、世界は完璧な調和を保っている。

Katherine Mansfield

葡萄の残り香

昔の恋人からＬＩＮＥで結婚報告がきた。

もう何年も連絡をとっていないのに、突然メッセージがきたので驚いた。ここ最近は思い出すことも、夢に出ることもなかったのに。その人とは特別深い思い出があるわけでもないし、引きずっていたわけでもない。恋人であった期間は一年にも満たなかったし、そもそもどうして付き合い始めたのか、どうして別れてしまったのかも思い出せないくらいだ。

その人とは、趣味も好みも考え方も、合わなかった。彼は休みになるたびにフットサルやキャンプに出かけていたが、私は家で映画を観るのが好きだ。彼はとにかく味の濃い食べ物が好きだったが、私は素朴な味付けが好きだ。彼はコーヒーをよく飲んでいたが、私は紅茶派だ。唯一、彼も私も本を読むのが好きだった。しかし、彼は小説を読まなかった。彼は将来のキャリアの形成を大事にしており、そのために情報のインプットを欠かさないようにしていた。そういえば、私が紹介した本を、彼は読んでくれただろうか。当時人気だった現代小説と、それから、私がずっと好きな海外文学を勧めたような気がする。けれど、彼が小説を読んでいた姿を見た記憶はない。

お酒の飲めない私のとなりで、彼はよく古いワインを飲んでいた。アルコールの歴史や葡萄の産地について語りながら、煙草を吸っていた。明るい紫色のパッケージで、あまり見かけない海外の銘柄だった。一度だけ、彼に勧められて吸ったことがある。慣れない手つきで煙草の先に火をつけ、こわごわと吸い込んでみたが、加減がわからず咽せてしまった。そのとき、彼がなにかを言う声が聞こえた。でも、なにを言っていたのか思い出せない。ただ。くらくらとした頭で感じていた、煙草と葡萄の香りだけは覚えている。

ごはんできたよ、という夫の声で、私は振り返った。そういえば、もう夕飯の時間だ。私は返事をして、自分の部屋を出る。手放した葡萄は甘かったのか、それとも酸っぱかったのか。今となっては確かめるすべもないが、特に気になるわけでもない。リビングへと向かいながら、私は彼からのメッセージを消去した。

あなたのまわりに、愛はたくさんありますとも。だから、ほんとうの愛が見つかるまでお待ちなさいね。

L.M.オルコット『若草物語I&II』、谷口由美子訳、講談社

大人になって『若草物語』を読み直し、四姉妹の愛にあふれた幸せな生活が心にしみいった。しっかり者の長女・メグ、作家の夢を持つ次女・ジョー、病気がちだけど誰よりもきれいな心を持ったベス、天真爛漫な末っ子のエイミー。南北戦争という背景はあるが、この世界に邪悪なものは存在しない。みな人を思いやる気持ちを抱き、幸福に生きている。

少女編である第一巻は、ピクニックに出かけたり、クリスマスを祝ったり、パーティに出かけたりする日々の出来事の、一瞬一瞬のきらめきがとてもまぶしい。彼女たちのおしゃべり声が、ページをめくるたびに聞こえてくるような気がする。

青春編である第二巻では、本格的に作家を志すジョーの人生を中心に物語がめぐっていく。幼馴染のローリーと深い信頼関係にありながらも、彼と恋愛関係になることを望むジョー。自分が本当に望むものを考え抜こうとするジョーの魂の高潔さと、彼女の愛を懸命に求めようとするローリーの真摯さのすれ違いが切ない。また、エイミーが下すあり大きな決断には勇気をもらえるし、結婚し、双子の母となったメグが、良き妻、良き母であろうと努力する様子もいい。そして若くしてこの世を去るベスを家族が見守る章では、死すらもこの世界ではこんなにも美しいのかと思わせられる。

四姉妹を見守る母親・マーチ夫人の存在もこの物語には欠かせない。印象的なのは、戦争で重症を負った父親のもとへ向かう夫人が、出発前に子どもたちに声をかける場面だ。「いつものように日々の仕事をすること。仕事は落ち着きをあたえてくれるものです。『希望を持っていそがしく(Hope and keep busy)』です。」牧師の妻らしい夫人のこの言葉は、どんな状況下にあっても日々をすこやかに生き抜こうとする娘たちの行動の指針になっているように思える。

決して裕福ではないはずなのに、どんな国のお姫さまよりも四姉妹の生活のほうが輝いて感じられるのは、彼女たちが嘘偽りない希望を胸に生きているからだろう。その輝きは雑然としがちな人生に深くしみこみ、背筋を伸ばさずにはいられない、そういう気持ちにさせられる。折に触れてここに還ってきたい、そう思わせられる一冊だ。

Louisa May Alcott

待ち望んだ瞬間の

世界の片すみで、忘れ去られてしまったふたり。生きる基準は自分たちの快適さだけ。そしてそれはこの世のものではなかった。

ジャン・コクトーによる『恐るべき子供たち』（一九二九年出版）*LES ENFANTS TERRIBLES* Jean Cocteau は私の大好きな、美しい小説です。

孤児になってしまった姉弟、一六歳のエリザベートと一四歳のポールは生まれつき薔薇のような複雑さを持っている。エリザベートの炎と氷だけからなる精神、夢遊病で病弱なポール。ふたりには高貴さと無秩序が同居し、純血種の動物であることが望みだった。

ある雪の日、ポールは憧れの男子生徒ダルジュロスの投げた雪玉に当たる。それ以来学校には行かず、エリザベートと共に「子供部屋」で世間と隔絶した日々を過ごす。ふたりの「子供部屋」に入ることを許されるのは、同じ孤児であるジェラールとアガートだけだった。

エリザベートは突然現れた大金持ちのマイケルに気に入られ結婚するが、処女のまま未亡人になり莫大な遺産を受け継ぐ。労働とは無縁に、四人は「子供部屋」で無秩序な日々を過ごすのだが……。

自分の大恋愛観を妄想するたびの決まりごととして、その一、世界でふたりぼっちのあなたと私でなければならない、その一、労働とは無縁の日々を過ごさなければならない、その一、なんらかの理由で成就しない恋でなければならない、こんな縛りを作っていた。

祝福されて、建設的な未来に吸収されてしまう関係では、純度も濃度も薄まって、大恋愛とは呼べないではないか……妄想の中で私はいつも苦しんでしまうのだった。

ところが、この『恐るべき子供たち』のクライマックスに出会った私は、自縛から解放され、見事な悲劇によって、天に昇っていけたのだ。

エリザベートは愛するポールをアガートに取られるのだけは我慢できなかった。アガートとポールが両想いであるのを知った時に、魂と本能に従い行動に出るのだが……

魂と本能は、善悪の基準を超えたとしても、決して嘘をつかないという。最後には性愛を完全に超越しながら、性愛のクライマックスさながらに魂を結び付けて昇天するふたり。

ポールの運命を司るエリザベートとダルジュロスの近寄りがたい優雅さや、白い雪と赤い血と黒い毒薬のコントラストといった、視覚的な美しさも胸に迫る。

決して分かつ事の出来ない魂の結びつき、これが私の求める大恋愛観の正体だ。あの手この手でふたりは窮地に追いやられるが、全てのものをぶっちぎって、死に釘づけにされる最後は、まさに待ち望んだ瞬間の静止画像だった。

朝目を覚ますと、まず考えるのはシンガーさんのことだった。音楽のこととといっしょに。服を着ると、きょうはどこで会えるだろうかと考える。

カーソン・マッカラーズ『心は孤独な狩人』、河野一郎訳、Kindle版、グーテンベルク21

これは、音にまつわる物語だ。物語はアメリカ南部の街。聾唖（ろうあ）の男性ジョン・シンガーの、優しくて柔和な人柄に惹かれ、彼のもとには入れ代わり立ち代わり、街の人々がやってくる。シンガーを軸にして、周囲の〈彼らの〉物語が進行していく。

そこで重要となるのは、「音」であり「声」である。

妻を失ったビフは彼女を思い出しながら、マンドリンを爪弾き自らを慰め、そして死を思う。

医師コープランドは、往診の中で経験する黒人差別に怒りを覚え、集会で力強い声で演説を行う。

移動式遊園地の機械工として雇われているジェイクの周りはいつも騒がしい。

なかでも強調されるのは、少女ミックと音楽との関わりだ。例えば、レコードが流れる家に忍び込んでモーツァルトを聴いたり、ピアノを買ってもらって練習したり、ノートに自らの楽曲を書き付けたりする。このように「音」を立てる世界を、ジョン・シンガーは認知することが出来ない。まるで声を奪われた歌手（Singer）のように、彼の代わりに世界は歌い、奏で、音を立てる。

象徴的なのは、シンガーの部屋に例の四人が一堂に会する場面だ。シンガーは彼らのためにラジオを買って部屋に置く。シンガーは、自分がいないときでも部屋に入ってラジオを使っていいと言う。音が、四人にとって福音であり、読者はシンガーが神的な存在であるのではないかという思いを抱く。

ジョン・シンガーにはアントナープロスというギリシャ人の同じく聾唖の友人がいる。シンガーから彼への思いは、ほぼ同性愛的と言って差し支えないだろう。シンガーは街で暮らしながら、時たま、精神病棟に入れられてしまったアントナープロスに会いにゆく。しかし物語終盤、彼の感情が、「声」が溢れ出る時、読者はシンガーが必ずしも聖人ではなかったことを知る。そこにあるのは、死にむかっていく「孤独な狩人」の姿だ。そして物語の通奏低音として流れる貧困・差別といったアメリカ南部の姿を、マッカラーズは四名の物語と絡めながら、極めて冷静な視点でとらえている。読者は寂寞たる思いにとらわれ、そこから抜け出すことはできないまま、物語は終りを迎える。

Carson McCullers

いつかのチケット

彼女がそっけなくなって、インターネットで意味深なことを言っていた。すこし詩的だけど、別れの挨拶のようだった。

付き合って三年半。いつも同じ化粧品を使っていたし、同じネイルサロンにも行っていた。店員ごしに互いの様子を聴くのが楽しみで、行く頻度は結構ずらしていた。お互い、友達には紹介していた。人は付き合うし別れる。それが、明日なのか一ヶ月後なのか、はたまた三年後なのかは、誰にも分からない。

直接的なきっかけは一つ二つ、思い当たる。こちらが彼女に対して不義理なことをしたことと、私が最近ずっと不機嫌だったこと。私達をつなぐものは何もない。書類も、何もかも。ただ一つ、互いの意識の上にあった「付き合っている」という感覚が、いきなり宙に浮いてしまった。

明確な別れ話はまだされていないけど、彼女の手元にある合鍵はいつ戻ってくるのだろう。合鍵返すよ。そうやって言われたら、私はどんな顔をしてメッセージを返すだろう。ありがとう？返さなくていいよ？それとも、会って話そう？答えが出なかった。

私からはメッセージを出せない日々が続く。仕事の山が大きく、とにかくそれをこなすことで精一杯になったし、休日は友達と過ごしていた。頭の片隅には彼女から連絡がないことと合鍵のことがあったけど、執行猶予だと思うことにした。いつ別れが切り出されるのか。だから、楽しさの中にいることにした。三年半という、私にとっては長い年月をかけた恋愛がなくなっても、自分のなかの喪失感に耐えられるように。

一ヶ月ほど経ったある日、誘ったライブが近づいていることに気付いた。意を決してメッセージを打つ。「あのライブ、どうするの」メッセージが返ってきた。「行くよ」と返事があった。

ライブは素晴らしかった。ああ、これで二人の予定は終わりなんだ。そう思うと、涙が出てきてしまう。楽しさの中にいよう。喪失に耐えられるように。もう彼女と会うことはないだろう。「今日はありがとう」「いいライブだったね」駅でそう話す。「私達、まだ恋人だよね」と確認してしまう。自分でも失言だったと思うけど、口が先に動いてしまった。彼女は一瞬言いよどんだあと「そうだよ、これからも」と言って、電車にさっと乗ってしまった。メッセージを待つ夜は長い。執行猶予は、まだ延ばされたようだった。

わたしは訪問者を喜んだ。沈黙してはいたが、かれがわたしを気にかけていることは分かった。わたしがジャングルを抜けて誰かのところへ行こうとすると、あるいは隣の村まで食べ物を買いに行こうとすると、豹(ひょう)はどこからともなく現れ、隣を歩いていた。

アンナ・カヴァン「訪問」、西崎憲訳、早稲田文学2015年秋号、早稲田文学会

「訪問」はわずか六ページの短篇小説である。時代も場所も正確にはわからない、どこかアジアの、南の国のような場所に住む〈わたし〉のもとに、美しい豹が現れ、去ってゆく。茹だるような日差しに、青い空、ジャングルの光る緑、瑠璃色の海、そういった風景の中に豹は大いなる威厳をもって存在していた。やがて海の向こうに消えてしまう豹を、〈わたし〉が追いかけようとする場面は、くっきりとした輪郭をともなう夢のようだ。

この物語の中で、豹は豹でしかない。なにかのメタファーであるとも思えないし、ただそこに「いる」だけの存在だ。しかし〈わたし〉のほうは、豹の美しさに感嘆し、その慎み深さを尊敬し、存在を喜ぶ。いなくなったら喪失感を抱き、最後までその記憶にとらわれたまま物語は終わる。

アンナ・カヴァンの作品の魅力は、その「冷たさ」以上に「熱」なのではないか。代表作『氷』では、抜き差しならない暗く冷徹なヴィジョンが世界を覆い尽くしているが、〈私〉が〈少女〉を執拗に追い求める様子は熱いというか、狂っている。恋というよりも暴力的な執着に近いかもしれない。「訪問」は、そんなカヴァンの熱風を感じ取ることができる、小さな作品だ。

いい意味で一方通行なのだ。豹は何も語らない。ただそこにいたり、いなかったりするだけで、その思考や気持ちはわからない。しかし物語の中でそのことはたいした問題にならず、〈わたし〉が〈かれ〉を求めているという態度だけがある。その当事者性が、圧倒的に美しい密度のことばでもって高い壁のようにそびえたっている。カヴァンの小説はどうひっくりかえって読んでみても「恋愛小説」ではない。けれど人が何かに惹かれ、固執しようとするときの、ままならなさや暴力性がこんなに緻密に描きこまれた小説を、わたしは他に知らない。〈わたし〉は永遠に、豹の不在に苦しめられ続ける。これが恋でなくて何であろう。

Anna Kavan

今年、私は結婚する。

「やめられない物、甘いものだわ」と言ったら、「他にもあるの？」と恋人に訊かれた。

この十年、私がやめられなかったものは君だよ！　と思いながら恋人の名前を口にした。


恋人には複数回振られてきた。それも向こうの都合で。

初めて振られた時はとにかく落ち込んで、全てを好きになれる人はもう一生現れないと思うのに、振られてしまったんだという絶望の気持ちに脳が占拠された。


それから数年後、私は結婚した。恋人ではない人と。

結婚相手は私のことがすごく好きだった。私の全てを肯定してくれた。こんなに好きになってくれる人はもう二度と現れないと思って結婚したし、そう思うのは今でも変わらない。


結婚してしばらくして、私の親友が「本当に好きな人、誰なの」と訊いてきた。

なんでもお見通しというわけだ。


会わないどころか連絡も取らないしSNSも見ないのに、いつも頭の隅に存在していた。

どうして私は一番好きじゃない人と生活しているんだろうと思っていた。


結婚生活が限界だと思った時、一度だけ電話をした。

なんてことのない会話をした。結婚していることは言わなかった。夫にも、電話したことは言わなかった。私が少し元気になったことに夫は気がついていただろうか。


離婚してしばらくして初めて、結婚していたことを打ち明けた。

さすがに少し怒られた。君が結婚してくれなかったから結婚しちゃったんだよと思った。確かそのまま言った。

でも別に付き合わなかった。居住地の距離が遠いのを言い訳に、私たちは思いついたようにプラトニックな恋人ごっこをしていた。


その後、魔が差して他の人と付き合ったりした。向こうも誰かと付き合ってすぐ別れたりしていた。

何してんだろうと思いながら、どこかにあきらめたい気持ちがあったのだろう。

お互いが別の誰かと、なんとなく人生を過ごしていく。そういうものなのだと自分に言い聞かせていた。


どちらも他の人との恋愛もどきを終えた時、私は結婚を提案した。

他の人と付き合おうが結婚しようが君をずっと好きだったから、君の精神がどんなにダメな時でも私は君を好きだし、ふらっとどこかに行っても放っておくから好きにしてよと言った。

関わり過ぎずにただそこにいる関係を維持できるのは、本当に好きな人相手だけだとこの時に思った。

提案は受け入れられないと思っていたのに、了承された。この時も私たちは別に付き合っていなかった。付き合うがなんなのかもはやよくわからないが、「付き合ってないよ」と言われた。言われた割に、結婚の話は具体的に進んでいる。


居住地の距離は相変わらず遠いが、定期的に会うようになった。

一緒にいる時に、どうして過去に私を振ったのか訊いた。一時的でも嫌いになったわけではないことは知っていたが、振ったということを忘れないでほしかった。

少し迷って、「自分が自分を保てなくなったからだ」と恋人は言った。今の関係性なら大丈夫と思って結婚を了承したのだろうか。

「一緒に大丈夫になろうね」と私は言った。

対話を繰り返す中で、恋人の中の「ある種病的に自分を保ちたい気持ち」は薄れているように思う。

自他の境界をなくしてはいけないが、他人を自分の領域に入れることも、少しだけならいいかと思っているのだろうか。そこまで考えていないかもしれない。いずれにしても、恋人が恋人自身のことを今までより多く開示してくれると、ここまで関わってきてよかったと嬉しくなる。そして、これからの人生でもっと開示できる環境にしていきたい。恋人の経験を、知識を、恋人自身の言葉で話すのを聞くことは、何にも代えがたい体験だ。


これが私の十年もかかった大恋愛の話。

今年、私は結婚する。

あなたをどれだけ愛しているか、自分でも気づかなかったのです。あなたを失うかもしれないという不安が教えてくれました。感謝の気持ちより強い絆で私はあなたに結ばれていたのです。

ガブリエル＝シュザンヌ・ド・ヴィルヌーヴ『美女と野獣［オリジナル版］』、藤原真美訳、白水社

一八世紀フランスのヴィルヌーヴ夫人によりこの世に生まれた『美女と野獣』。それを要約したものが、ボーモン夫人によるバージョンである。こちらの版はたちまち人気になり、翻案され、映画やミュージカルになって親しまれてきた。

有名なディズニー版のアニメや実写映画で重要視される「表面的な部分を超え、物事の本質をいかにとらえるか」というテーマは、実は複雑な変遷をたどってきた。ヴィルヌーヴ版では、ベルは王子の城で夜ごと美貌の青年の夢を見、彼に恋をする。野獣の良心に惹かれながらも、青年（実は王子＝野獣の本当の姿なのだが）への気持ちのほうが勝ってしまっている。目に見えてしまうものの力の強さを、ベルは乗り越えることができないのだ。これはヴィルヌーヴ夫人が投げかける厳しく、深淵な問いである。

これは一九四六年のジャン・コクトーによる実写映画でも継承されている。アヴナンという美貌の青年が登場し、野獣を殺そうと試みるも、妖精によって野獣の姿にされてしまう。一方野獣が人間の姿に戻るのであるが、それはアヴナンと全く同じ姿の青年なのである。ベルは、「本当はアヴナンを愛していたが、父の側にいたいので求婚を受け入れられなかった。今は、（アヴナンと）同じように野獣も愛している」と言ってのける。野獣が「醜く」、美青年のアヴナンが「美しい」という価値観が、ベルの中で最後まで揺らいでいるようには見えなかった。

しかしディズニー版のベルはこれを乗り越える。夢の中や現実に登場する美青年ではなく、野獣の心の中の美しさに真に惹かれたからこそ、魔法は解けるのである。このように物語が何世紀もかけて進化し、輝きを増していくのだという事自体に、心を動かされる。自分たちが物語を紡いでいくんだ、という強い意志を感じて、自然と涙が出てきてしまう。

しかし同時にそこには、一人の女性による、美しくも厳しい物語があり、それがすべての始まりであったことを、忘れないでいたいと思う。

Gabrielle-Suzanne de Villeneuve

ファントムペイン

私は、若いころは特に、どうも恋愛下手で、素敵な恋なんて縁遠いものだと思っていた。もちろん、好きな人もいたし、好きになってくれる人もいた。それなりに心躍る時代を過ごした。しかし、男性というものは、女性と全く別の思考回路で動く動物だということをまったくわかっていなかった。「どうして男ってそうなの。」と、女性の思考回路ですべてを判断し、男性の行動を分析しようとしていた。男性というものに疑問は尽きなかった。大学の同級生のY君もそんなうちの一人だった。若くて何もわからず私たちは、よくケンカもした。女性と男性、すべてをわかるのは難しい。私たちは、それを知らずにただただ理解し合えないところにばかりとらわれ藻掻いていた。この衝突は男女の違いのせいだと気づかずに、性格の不一致のせいだと思って別れてしまった。十ヶ月程過ぎた私の誕生日、自宅にY君は大きな花束をもって訪ねてきてくれたという。帰宅した私に、母は「Y君はとてもいいひとね。」と言った。私は「そうかなあ。」と苦笑し、花束の中の手紙に気づいた。何を今更、と、中身も読まずに引出しにしまい込んだ。

早いもので、あれから約二〇年。二年前、断捨離に目覚めアルバムや手紙を整理していると、ふとY君からもらったあの手紙を発見した。水色の便せん、そこに几帳面な字が並んでいた。何の気なしに、読み始めた。予想外に涙が止まらない。「もう一度葉山にいきたかったね」「もっと優しくしてあげればよかった。」「誕生日に何かをあげたくて、三時間以上捜し歩いて結局花になっちゃった。ごめん。」彼の気持ち、全然わかっていなかった。でも、あのころはお互いにまっすぐにぶつかって、感情を飾り立てることなんてなかった。だから、とても不細工な恋愛。美化しようとしても、美しいラブストーリーとは程遠い。でも、二〇年経った今も、待ち合わせしている彼に早く会いたくて気が付くと走り出していた、あの時の気持ちが血液に乗って私の体の末端まで流れている。しかし、今となっては過去の話。ふっ、とため息に似た笑いは、その炎を消そうとした。現実に戻っても、ファントムペインのように切なさが痛みとなって残った。

仕事に家事に忙しい平日、そして主人と楽しむ週末――これが今の私。充実した穏やかな毎日に幸せを感じている。つい先日、仕事で訪れた四谷を歩いているとふと見覚えのある顔。彼？確信する間もなく声をかけていた。Y君だった。なんという偶然。ちょっと時間もあったので、二人でカフェに入った。今は、奥様と二人の生活を楽しんでいるという。仕事も順調で、今は、某大手電機メーカーの子会社の社長をしている。ファントムペインはいつの間にかすうっと消えた。何よりも幸せそうでうれしかった。彼も私が今幸せであることを喜んでくれていたことと思う。これが、二〇年越しの恋愛。不器用で不細工な、子供だったころの恋愛が人生の大恋愛に熟すのを目の当たりにする醍醐味を感じた。

再来年で私は夫との結婚一五周年になる。夫とも結婚当初は、たくさん喧嘩をした。今から思うと子供だったけれど、お互いにお互いのお陰で成長してこれたと思う。夫とはこの先何年越しの大恋愛になるだろうか。大恋愛を超える大恋愛に一生わくわくしていたい。

「愛は人を不幸にする」と母は言っていた。「愛のせいで人は枕を濡らして泣きながら寝たり、涙で電話ボックスのガラスを曇らせたり、泣き声につられて犬が遠吠えしたり、タバコをたてつづけに二箱吸ったりするのよ」

ルシア・ベルリン「ママ」、岸本佐知子訳『掃除婦のための手引き書　ルシア・ベルリン作品集』収録、講談社

二〇一九年の翻訳文学の話題を席巻した『掃除婦のための手引き書』。たばこを手に持った美しい著者の白黒写真に導かれて読み始めたら、数篇でいきなり大打撃を受けた。「それ」は後ろからバイクかなにかでやってきて、わたしの心を瞬間で揺さぶって、全速力で走り去っていった。え、今の、なに？　収められた二四篇のなかに偏在する「それ」を目撃するのに精一杯で、最初に読み終わったときは、脳が麻痺しているような感覚に陥ったのだった。

それから数ヶ月し、もう一度読んでみた。一度目より、より「ルシア・ベルリン」というその「ひと」を意識した。この本では、彼女が生きた人生――たとえば三度の結婚や、アルコール依存症、子育て、いくつもの職業遍歴――などが物語(フィクション)となっている。ちりばめられたピースを通して、わたしたちはルシア・ベルリンという人を知ることになる。それは確かにそうだ。が、しかし、そうではない。彼女の作品を読むことは決してパズルを埋めることではない。作家の人生と、書かれたテクストは別のものだと、読みながらはっきりとわかるのだ。何度読んでも不思議だ。活字で示されているはずなのに、「それ」の正体を掴むことができない。

序盤の豪速球で一気に引きずり込まれたと思ったら、さまざまな彼女の断片が浮かび上がってくる。「わたしの騎手」や「マカダム」の詩情、「どうにもならない」の切実さ、「セックス・アピール」のユーモア。しかし中盤以降、だんだん、気づき始める。この底知れない寂しさはなんだろう？　その寂しさは母と妹をめぐる物語「ママ」で沸点に達し、気がつくと音楽はスロウになっている。物悲しさと明るさ、どちらも伴ったまま、その音は静かに消えてゆく。つまり、名盤である。

私はルシア・ベルリンを読み、「それ」に打ちのめされるたび、彼女の物語そのものになったと感じる。私がルシア・ベルリンになるのではなくて。そんな感情は、今まで読んできたどの小説にも抱いたことはなかった。だからやはり不思議だ。これが、文学の魔法だろうか。

Lucia Berlin

矛盾する

かつて、父はわたしにこう言った。「これが最後と思う恋には必ず終わりが来るが、どうせ次もあると思う恋が最後になったりする」と。実際にはもっとくだけた(そして文章にするには些か雑な)ものだったが、現在この教えは真実でありつづけている。あるいは、真実にしようとしている。父がそうだったかどうかはわからないし、確かめるつもりもないのだけど。

わたしは記憶しておくのが苦手だから、かつての恋の思い出もほとんど消えてしまっている。いまかろうじて思い出せるのは、視界の右斜め下で揺れる犬の背中と、あなたに最後に言われた言葉――嫌いになったわけじゃない――だけ。親にバレないように会いにいくために「散歩」と称して付き合わされていた犬。あなたとの別れの日には連れていかなかったけど、もしその場に犬がいたら歴史は少しちがっていたと思う。未来（それとも結末？）は変わらなかっただろうけど。

そういえば、それから数年後に犬が死んだとき、母は「もう犬を飼うのは最後」と言っていたけど、半年後には保護犬を引き取っていた。二匹も。「最後」があてにならない例にはこういうパターンもあるらしい。それと、「散歩」が口実だったことはバレていた。

次の「最後」の恋は、終わりへ向かう数ヶ月間がただひたすら辛かったことだけが、感触として残っている。わたしもあなたもなにかが壊れてしまっていた。離れなければならない状態だったのだけど、あなたの主治医や整備士になることはできないのだと気づくまでに、少し時間がかかり過ぎてしまった。だからかもしれない。そのときは「嫌いになったわけじゃない」とは言われなかった。

愛が毒にしかならないこともある。それがわたしに処方された薬、いやオブラートだった。薬は父の言葉。それをやっと飲むことができたわたしは、その後すぐにあなたと出会う。

わたしはあなたをしあわせにするために、あるいはこれを「最後」にするために、愛を――たとえばそう、読書をより愉しくするクッキーみたいに――ほんの少し手を伸ばせば掴めるくらいのところに、放ってある。愛は手に持つものではなく大切なもののそばに置いておくものだということを、わたしが「これが最後」と思ったひとたちが教えてくれた。だから感謝している。しあわせな時間を過ごしていることを知ったときは、素直にうれしい。そして同時にこうも思う。後悔しやがれ、と。

わたしの話が終わってもジャックはまだ外を見ながら考えこんでいましたが、とつぜんわたしに向かって、「ぼくはまだ幸福を見つけてはいないけれど」と言いました。「でも、なにかを見つけた——ぼくを理解してくれる人をね」
わたしにはその意味がわかりました。それからというもの、わたしはもう孤独ではありませんでした。

アンネ・フランク「幸福」、中川李枝子訳、『アンネの童話』収録、文春文庫

学生の頃、オランダへ行った。当時付き合っていた人を留学先まで追いかけての、「大恋愛」旅だったが、アンネ・フランクの隠れ家にはひとりで行った。そうすべき気がしたからだ。あの隠れ家への階段につながる本棚のうしろの扉をくぐったときは、心がふるえた。彼女の〈部屋〉は、本当にそこにあった。びっくりするほどすべてが、生々しかったことを覚えている。小さな食卓、お手洗い、開かれることはなかったであろう窓。姉のマルゴーと一緒に過ごしていた部屋の壁には、映画女優の切り抜きが貼ってあった。それがとてもおしゃれで、彼女がセンスの良い女性だったことを何より雄弁に物語っていた。あの日記を書いたアンネ・フランクは実在した。その息遣いが、生が、ぐらぐらとわたしの足元を不確かなものにした。

わたしは彼女のことはなにもわからない。日記を読み、その隠れ家を訪ねてなお、そう感じる。私の貧困な想像力では、彼女が受けた痛みがいかほどのものか、思いを馳せることすらできない。なのに、なぜ彼女の本は私の本棚に鎮座しつづけているのだろう?

もしかしたら、きっと、単純なことなんだ。つまり、人は死んでも、テクストは残る、という奇跡を信じたいのだ。そしてそのテクストが世界中の人に読まれ、愛されるということを。『日記』を読み返すたびに感じる。自分は一五歳の頃、こんなふうに世界を感じていただろうか? 人を大切にしていただろうか? 今、生きる喜びを、幸福を、感じることはできているだろうか? いつだってどんなときも、世界に愛されていると、そう思えているだろうか?

アンネ・フランクは、悲劇のヒロインである以前に、素晴らしい書き手であり、世界をとても賢く生きた人間だった。その射抜くような瞳で世界をまなざし、ことばを残し、今も彼女はこの世界に生きつづけている。

Anne Frank

恋は盲目

小学校に上がったくらいの頃だったろうか、親に「冷めた子だ」と言われたことがあった。自分から進んで冷めたわけじゃない。もう一人の自分が、わたしのやることなすこと、ひとつひとつにいちいち文句を言ってくるからだ。それでわたしは、何かに夢中になれた記憶がない。恋愛もまた例外ではなく、「恋は盲目」という言葉に憧れがあった。そんな恋をしてみたかった。

あいつがいちばんやる気を出すのはわたしが誰かを好きになった時だ。夜ごと好きな人を想い、想うたび「どうせフラれる」「釣り合うはずがない」「鏡を見ろ」などと罵られる。辛くなって泣いてしまう日々。

面倒なことにわたしは惚れっぽい性質で、人を好きになること自体は多かった。そしてその度に律儀に泣く。うんざりだった。いつからか、恋に落ちると同時に恋の終わりを願うようになった。

終わらせるのは簡単。振り向いてもらう努力を放棄して、すぐに告白してしまう。そうすれば、その人の中に占める自分の割合が少し大きくなる。まあ、長くは続かないけれど。ごめん、きみの想いに応えることはできない、でも、真っ直ぐに気持ちを伝えてくれてありがとう、と思ってもらえれば、とりあえず勝ち。

わたしにとっての恋愛は、概ねこんなものだった。

つい先日、仲の良い友人グループのうちのひとりを好きになってしまった。こんなにベタで面倒な展開が起こるもんなんだなあ、と何より自分が思った。あいつもいつになく上機嫌、よく舌が回っている。うるせえ。

早く終わらせたい一心で、いつもと同じように行動し、いつもと同じように玉砕した。その時、なぜか突然、これまでのわたしを苦しめていたものの正体がわかった。

あいつに水を差される前に動き出すべきだと、わたし自身の魂はとっくに気付いていたのだ。すぐに告白していたのは楽になるためじゃない、その想いは何者にも汚されてはいけないと本当は知っていたからなのだ。

どうして閃きってやつは何の前触れもなく訪れるのか。謎。あるいは、もしかしたらあいつは、ずっとそれをわたしに伝えたかったのかも知れない。それっきりあいつは現れなくなったから、もう、何もわからないけれど。

とにかく、だからわたしは、今、どこにでもいける。その気になれば、好きなだけ盲目でいられる。

わたしの大恋愛は、きっとこれから。

横浜のこと

宮城すみれ

生まれも育ちも違うが、横浜が好きだ。横浜駅西口の雑さも、みなとみらいの洗練も、黄金町〜日の出町あたりのちょっと危ない雰囲気も好ましいが、やはり一番ロマンがあるのは山下公園から山手にかけての地区だろう。小さい頃は父がよく氷川丸に連れて行ってくれたし、デートで何度もここを歩いた。

『月曜日のユカ』に登場する横浜には、まだランドマークタワーもベイブリッジもない。雑然とした街並みと、山手のおしゃれな雰囲気が対照的だ。それ以上に主人公ユカを演じる加賀まりこの可憐さは別格である。若き日の彼女のきらめきを結晶化したような、奇跡の映画だ。

ユカは「横浜」という、異国の香りがする街を歩いていく。ジャズクラブで、パトロンの家で、丘の上の教会で。ユカは男たちを翻弄しながら、精一杯の青春を生き、愛をもとめてさすらう。

さて、そんなユカが映画の最後で、とある人物と待ち合わせをするシーンがあるのだが、その場所がホテルニューグランドなのである。このホテルはクラシックホテルの代表として知られていて、マッカーサーが滞在したり、ドリアなどの料理の発祥の地としても有名だ。白黒映画の中におさまるホテルニューグランドのロビーは、今と変わらず美しく、輝きを放っている。

またスタジオジブリ作品の『コクリコ坂から』も、高度成長期の横浜を舞台にしたアニメーション作品だ。ヒロイン・海の淡い恋模様や、カルチェラタンと呼ばれる学生の部室棟をめぐる学生運動の青臭さも魅力なのだが、横浜好きとしては、背景美術に目が行ってしまう。

海が、想いをよせる風間俊という男の子と物憂げに歩きながら話すシーンがあるのだが、この舞台は山下公園だ。そして二人の後ろにチラリとホテルニューグランドの看板がのぞく。(ちなみに当時は、本館とよばれる建物しかなかった)

『月曜日のユカ』(1964年)／日活

『コクリコ坂から』(2011年)／スタジオジブリ

これらの作品を観るたび、わたしもこんなふうに横浜で青春を過ごしたかったと感じる。横浜はわたしにとってどこよりも憧れの街で、だから私はホテルニューグランドで結婚式を挙げた。

「ギャップ萌え」は安直か？——恋愛ドラマとしての『セックス・エデュケーション』

人は「落差」で恋をする。あまたの恋愛ストーリーが身分の差、二人を引き裂く状況などを背景にしているのを見て、いつもそう思う。しかし現実世界では、落差によって燃え上がる恋に、周囲は鼻白みがちだ。その筆頭が「ギャップ萌え」ではないか。ちょっと悪そうな人が見せる優しそうな笑顔にハートを射抜かれた友達がいると、私は「単純だなあ、しっかりしなよ」とツッコミを入れてしまう。しかし、「ギャップ萌え」とは、それほど安直な感情なのだろうか。Netflixのオリジナルドラマ『セックス・エデュケーション』を観ると、そうではないとわかる。主人公のオーティスは、セックスセラピストを母に持ち、性の知識が豊富なスクールカースト最下層の高校生である。それがある出来事をきっかけに、「学校一のビッチ」とされるメイヴと組んで、高校生たちを相手にセックスセラピーを始める。普通なら接点を持たないであろう二人。しかし、ビジネスパートナーになったことで、お互いが気になる存在になっていく。ぱっと見、知的ではなさそうで、同級生と衝動的にセックスしたりするメイヴ。実はヴァージニア・ウルフを読み、独自の視点を持つ文章の書ける才女である。しかし、オーティスとは共通点も多い。ジョークの勘所が同じで、考えすぎて行動に移せないタイプであり、複雑な家庭環境にあって必死に日々を生きている。二人を見ていると、ギャップ萌えが恋のきっかけになるのは、落差のみによるものではないと思えてくる。はるか遠く思えた存在が、自分と共通する何かを持つ、ちかしい存在であると気づく。その瞬間を、人は「ギャップ萌え」と呼ぶのではないだろうか。オーティスとメイヴの恋が今後どう発展していくかはわからない。しかし、人生における「同志」を見つけた二人の姿を見ていると、恋愛に興味のない私でも「恋がしたいな」と思えてくるのだ。（tekitoeditor）

7:25

Lock　Episodes　Audio & Subtitles　Next Episode

好意の段違い平行棒〈百合〉

レロ／中村香住

二〇一八年のある日、悪友氏に、LINEで唐突に、「感想がうまく言語化できなかったから、レロちゃんに観てきてほしい」と、『リズと青い鳥』を観るように薦められた。我が悪友ながらめちゃくちゃな薦め方だと思う。薦めているというより、わたしは咀嚼しきれていないのだけどあなたはどう思うだろう、と問われているかのように私は受け取った。

念のため断っておくが、『リズと青い鳥』が「恋愛映画」だと言いたいわけではない。しかし、おすすめの〈大恋愛〉映画と言われた際に、私には『リズ』しか思い浮かばなかったのだ。『リズ』が「恋愛映画」かはわからないが、間違いなく「百合映画」ではある。そして私にとっての〈大恋愛〉は、どうしようもなく「百合」のことである。

観終わった結果、なぜ悪友氏が感想をうまく言語化できなかったのか、たちどころに理解した。こう言って傲慢であれば、少なくとも、私も感想をうまく言語化できなかった。

ストーリー自体はある意味とてもシンプルなのだけど、二人の構造的な配置や感情の移り変わりについて考えると、さまざまな位相で色々なことが語れてしまいそうで、何をどこから言葉にしたらよいかわからなかった。また、下手に言葉にしたら、この映画の最も肝心な部分が手から零れ落ちてしまいそうな気もした。繊細な飴細工のような映画だと思った。

この映画の主役である傘木希美と鎧塚みぞれは、どちらも自分なりの（こう言ってしまってよければ）孤独感を内面に抱えている。どちらも相手に対して、「ついていけなさ」や「取り残されている感」、ありていに言えばコンプレックスや羨ましさを感じているように思える。しかし、その感情の種類というか質というかが両者ではだいぶ異なる。

よって、二人は永遠にすれ違い続ける。二人ともお互いのことを「好き」なこと自体には変わりないはずなのに、当然「好き」の中身が異なるので、単純な両想いには決してならない。とある私の友人が「好意の段違い平行棒」という秀逸な言葉を生み出したのだが、希美とみぞれの関係性はまさにそれだ。

それが最もよく表れているのが、物語終盤の、理科室で希美とみぞれが堰を切ったように互いへの想いをぶつけあうシーンだ。みぞれが、希美を必死にハグしながら、「希美の笑い声が好き」「希美の話し方が好き」「希美の足音が好き」「希美の髪が好き」と希美の一挙手一投足を好きだと言い、最終的には「希美の全部…（が好き）」となるのに対して、希美は「みぞれのオーボエが好き」とだけ言う。そこに悪気はない、と思いたい。むしろこの一言こそが、希美にとって身を切るような言葉だったのかもしれない。でも、やっぱり、この場面全体が、あまりにも残酷だとも思う。

これは当時悪友氏と話し合った結果生まれた暫定的な結論だが、希美とみぞれは、通底するものを持ちつつも、どこかで決定的に異なる。しかし、また同時に、希美とみぞれは表裏一体でもある。よって鑑賞者も、希美に感情移入することもあれば、みぞれに感情移入することもあり、感情が忙しい。映画全体を通して、希美とみぞれの立ち位置は少しずつ変わり、時に入れ替わる。それがこの映画の醍醐味なのだが、同時に言語化を難しくしている要因でもある。

これを読んでいるみなさんも、ぜひ観て、感想を教えてほしい。感想の言語化が難しい作品なのは重々承知だが、だからこそ、ぽつりぽつりと慎重に紡ぎ出された感想を集めることで、何かが見えてくると信じたい。

https://twitter.com/rero70 までお願いします。

〈恋〉ってなに？教えて映画よ

榛名こな

初めて付き合った人と結婚して二年が経つ。他人からはよく「ロマンチックだね」と褒めてもらえるが、その度にへんな顔をしてしまう。本当のロマンチストはたぶん七年間も交際しないし、結婚もしない。来年で十年目になるわけだが、その間ずっと考え続けてきたことがある。わたしたちは〈恋〉をしてきたのだろうか？問いの答えは未だに出せていないが、印象に残った映画たちがヒントをくれるような気がしている。

今から十二年前に公開された『魔法にかけられて』。当時は実写とアニメを掛け合わせたスタイルや、セルフパロディーが話題となった。プリンセスが悩みながらも選んだのは、王子様ではなくニューヨークに住む弁護士！ディズニーの王道ヒロイン像からはかけ離れたジゼルに、ハラハラしつつ愉快な気持ちに。

そのほぼ一年後に『(500) 日のサマー』が公開。今でもラブストーリーとして名高い映画だが、冒頭のナレーションにもあるようにこれは「恋物語ではない」。運命の女性を探すトムと、恋や愛を信じないサマーの交流を描く。日付がくるくると変わる演出などが面白いのはもちろんだが、トムの心情の変化に注目してほしい。

三年前に公開された、記憶に新しい『勝手にふるえてろ』。世間的な評判はともかく、個人的には今いちばん観てほしい作品（欲を言えば全部がいいけど……）。綿矢りさの同名小説を見事に映画化するだけでなく、恋を通して感じる〈生きづらさ〉も描かれている。「勝手にふるえてろ」とヨシカが自分に向けて言うシーンに、勇気づけられる人も多いはず。

OSAKAN SOCIALISM

悲しい色やね。

おれだってラヴソングは人並みに聴いてきた

(四つのラヴソングとそのかんたんな解題)

imdkm

世の中にはうんざりするほどラヴソングが溢れている。誰かに対して思いを綴る、しかもそれを歌う。そこまではまあわかる。しかしなんなら商品にしちゃうのだから不思議なものだ。買って聴くほうもめちゃくちゃ感情移入して、感動して、そこに自分の似姿を見出したりして。まあ、ラヴソングに限らずいまや歌ってそういうものか。

色恋とはほんとに無縁な私にも、好きなラヴソングはいくつかある。底抜けに幸せな一曲であればザ・ゾンビーズの「ディス・ウィル・ビー・アワ・イヤー」(一九六八年)。ソフトロックの名盤『オデッセイ・アンド・オラクル』収録曲だ。長い道のりを紆余曲折たどってきたらしいカップルの片方がついに「今年はわたしたちの一年になるだろう」と歌う。相手への信頼と感謝にあふれたことば、そしてヴォーカルの親密さも相まって、幸せに包み込まれるような気分になる。ぜんぜん自分ごとじゃないのに。半音ずつ下がっていくベースラインに、ふたりが手を取り合って一歩ずつ道を歩む姿が目に浮かぶような。

ロジャー・ニコルズ・アンド・ザ・スモール・サークル・オブ・フレンズ「ドント・テイク・ユア・タイム」(こちらも一九六八年! セルフタイトルのアルバムに収録)も言わずとしれたソフトロックの名曲だが、こちらはザ・ゾンビーズとは対極で、異様に恋路に焦る、っていうかめっちゃ一所懸命くどいてる語り手にやや失笑してしまう。しかし、たとえば三小節で足早にスタートするこの楽曲の持つ性急さが、歌詞にみられる語り手の青臭さ、つまり恋心(あるいは下心)が先走って相手のことを考える余裕なんてなさそうな忙しなさを「若さ」の甘みに変換しているようで、胸の奥がむず痒くなる。

ビルト・トゥ・スピル「ツイン・フォールズ」(『ゼアズ・ナッシング・ロング・ウィズ・ラヴ』一九九四年収録)は、初恋にも至らないような、うっすらとした幼少期の記憶をつづる。地元が一緒だったある女の子について、なんでか脳裏に焼き付いている記憶をたんたんと述べたあと、「聞いた話だと、その子、もう結婚して双子の子どももいるらしいんだよね。どうでもいいんだけど……」と歌はしめくくられる。意地悪なことを言わせてもらうが、わざわざ語ってるんだからぜったい語り手は「どうでもいい」なんて思ってないだろう。それをあえて恋だとも言いはしない。わざわざ気にするほどでもない、心に小さな棘が刺さったみたいにこびりついた記憶。「あの子結婚したってさ」と聞いて蘇ってくる記憶に心動かされ、「どうでもいいんだけどさ……」というその、なんていうか、情けなさ。身勝手な、記憶の中だけにある愛かもしれないなにかを歌ったこの曲もある意味ラヴソングだと思う。

一方で、身につまされるようなラブソングというのも好きだ。イギリスのデュオ、アルーナジョージの「ユア・ドラムス・ユア・ラヴ」（二〇一二年のシングル）。ポスト・ダブステップ的なややエッジーな音使いが強い印象を残すダンサブルなポップスだが、歌詞は切ない。切ないというか、身もふたもないほど悲観的で、疲弊している。あなたの愛を手に入れるためにがむしゃらに進んできたつもりが、行く先を見失ってしまったみたいだ……という、強がりと諦念が入り混じったヴァースからして胸に刺さるし、「私の光が弱くなっているのは、多分じゅうぶんに強くなかったってことだな」と嘆くフックもあまりに切ない。

凄いのは、これまでの自分を振り返るブリッジ。

「たぶんこれまでずっと／私はすがりついていたんだ／時間が必要だってあなたの約束に／全部ひとつのお話にまとめあげて／自分が幸せを感じられないよう、自分で追い込んだ／あなたのやること全部を自分の仕方で解釈して／あなたは私に懇願してるんだって思ってた」（拙訳、やや意訳）

都合よく組み立てた「恋」という物語の中に入り込んで浸っていた結果、自分はどうしようもない袋小路にはまってしまったのかもしれない。そのように自問、自嘲しつつ、しかし、打ち続けるのである。あなたの愛を、あなたのドラムを。私とあなたで。キックドラムも兼ねたヘヴィなベースラインに身体をゆらしながら、聴いている自分は心に涙を流すほかない。とてもいい曲だ。

デンマークのテレビ番組と作家トーヴェ・ディトレウセンの結婚生活

枇谷玲子

私には好きな番組がある。『ウーエンダールとデンマークの偉大な作家達』――二〇一八年にフランスカンヌのコーポレートメディア&TV大賞（ドキュメンタリー・ドラマ部門）を受賞した、デンマークのテレビ番組だ。

本稿で紹介したいのは、詩人、作家のトーヴェ・ディトレウセンの回。この回のロケ地は、トーヴェが生まれ育ったコペンハーゲンのヴェスタブローという労働者地区だ。そこに番組ツアーの一行がどわどわとやって来た。ガイドが空き地を指差し言う。

「トーヴェが生まれたのは一九一七年。こちらはトーヴェの『子ども時代の通り』、ヘーゼビュ通りです。

トーヴェは新しい時代の象徴でした。世の中は労働者階級出身の若い作家の登場を待ち望んでいたのです。彼女は一九三九年に『少女の心』という詩でデビューしました。彼女の幼少期の家のすぐ隣の道の石畳に、この詩集の一篇『あなただけのために』が刻まれています」

夜中、煌々（こうこう）と燃えるろうそくの炎
私だけのために燃える炎
私が息を吹きかけると、炎は一層激しさを増し
私だけのために燃え盛る
ところがあなたが穏やかに静かに息を吐くと
炎はふっと消えた
そして私の心の奥深くで燃え続けるのだ
あなただけのために

するとそこに、すでに亡くなっているはずのトーヴェが路地に立ち、話し始めた。

「この辺りには、貧乏人ばかりが暮らしてた。私は十四歳で働かなくてはならなかった。子ども時代は棺のように窮屈で、長く、自力で抜け出せないもの。でも詩を書くことで、現実から逃避できた。私は二十二歳で初の詩集を出版したのよ。タイトルは『わが亡き子へ』」

文学研究者によれば、脚色はされど彼女の作品はかなり彼女の人生に基

づいているのだという。

そこに南デンマーク大学北欧文学部教授アンネ・マリー・マイが登場する。

「トーヴェは詩を志しますが、父からこう言われます。

『女の子は作家になれやしない』

トーヴェは、文芸誌の編集者ヴィゴー・F・ミュラーに詩を送りました。編集者は彼女の才能にすぐ気が付きます。一九四〇年、二人は私生活の上でもパートナーになりました。

ヴィゴーは、若い芸術家が集う場所を作りました。皆、同世代で、詩作に熱中していました。トーヴェはそこで詩人のピート・ハインに惹かれていったのです」

コペンハーゲン大学文学部教授のトーベン・イェルスバックが言う。

「ピートは性に奔放でした。彼はトーヴェに結婚が唯一の生きる道でないと示したのです」

そこにオルガ・ラウンという若い作家／詩人が登場。彼女がトーヴェの作品集を編纂したことで、トーヴェは再注目されたのだ。

「初めて彼女の詩を読んだのは、十二歳の時だった。彼女は人生の真実を知っている人だと思ったわ。作家生活の前半は、ほとんど押韻詩しか書かなかったけれど、やがて長くて難解な詩を書くようになった。作家人生の中で絶えず、よい主婦、母親になるべきなのに、なれない、と書いた。トーヴェは詩を書くことに一番の生きがいを感じていたんじゃないかしら。彼女は三十～三四冊の本を出し、どれも傑作だった。それは自分の才能を信じていなくては、できないこと。彼女は才能に溢れていただけでなく、勇敢でもあった」

アンネ・マリー・マイが再び登場。

「トーヴェは同世代の美男子、エッベ・ムンクと結婚し、子どもを授かります。彼女は母親になることに生きる意味と喜びを見出し、それが彼女の創作にも影響を及ぼしました。作家としてすでに成功していた彼女にまだ学生だったエッベは嫉妬し、次第に二人の結婚生活に影が落ちます。トーヴェは医師のカールという男性とよくパーティーに行くようになりました。トーヴェは再び妊娠しますが、父親がエッヴァなのかカールなのか分かりませんでした。彼女は堕胎を望み、カールに助けを頼みました。カールとトーヴェは結婚しました。カールはトーヴェと依存関係を築くチャンスと見計らい、麻薬を投与。薬物依存で痩せ衰えてずたぼろになった彼女は、やがて治療を受けようと自ら救急車を呼び、入院。カールと離婚しました」

四人目の夫、ヴィクターには愛人がいて、トーヴェに離婚と財産分与を求めていた。

「伝統的な意味合いでの結婚は終わったと私は思っているわ」とトーヴェ。

テレビ番組の収録で詩『永遠の三人』を詠むトーヴェ。

私の人生にはいつも二人の男がいる
一人は私が愛する男で
もう一人は私を愛する男
一人は私の心の闇に住まう夜の夢
もう一人は私の心の扉の前に立つ男
でも決して中には入れない

アンネ・マリー・マイは言う。「トーヴェ・ディトレウセンは激しい鬱を経験しました。悲しみは彼女の人生の一部でした。作家トーヴェは一大ブランドと化しました。しかし彼女は現状に満足せず、新たな分野に挑戦し続けました。彼女は男性が女性を抑圧すべきでないと考えました。彼女は完全に自己流の定義の上で、フェミニストとして生きたのです」

司会のウーエンダールはレコード屋でアンネ・リネットという歌手と落ち合った。アンネ・リネットは言う。

「彼女はデンマークで最も偉大な女性詩人と言えるのかもしれません。私は十七歳かそれぐらいの時に、友人の家で詩集『女心』を見つけました。その中に、『私の中にうら若い少女がいる』という詩が収められていました。それはまるで私についての詩のようでした。四、五日で詩集の全ての詩に曲をつけました」

私の中に死なないうら若い少女がいる
鏡の向こうから私の瞳の奥の湖をのぞきこむ
得体の知れない何かを求めて
うんざりするほど、じっとこちらを見てくるその子が
かつての自分に思えてくる

歌い終えたアンネ・リネットは続けて言った。

「言葉はとてもなめらかで、遊び心に満ちていました。彼女の言葉にはもともと音楽が宿っていたのです。

曲をつけ終えた二週間後に、レコード会社を設立した、全てのトーヴェ作品の版元である大手出版社のギュルデンダール社から、『女心』に曲をつけないかと依頼が来たのです」

「トーヴェとは会えたのかい？」

「レコード会社がアポをとってくれていたのですが、予定の日の直前に電話が入り、トーヴェが自殺したと知らされました。私の曲を聴けば、理解者がいると分かったはずなのに」

そこで再び過去の世界に場面が切り替わる。トーヴェはタイプライターで書きながら、文章を読み上げた。

「これは私の死亡記事よ。昨日、女性作家、トーヴェ・ディトレウセンが、作家人生の絶頂で亡くなった。彼女の死はデンマーク文学の大きな損失だ。彼女のような天才が、デンマーク・アカデミー賞を受賞しなかったことを、アカデミーの名誉会員に選ばれなかったことは不思議でならない」

トーヴェは有名になっても尚、どうして認められないんだと苦しんでいた。トーヴェはウーエンダールに言う。

「私は卑しい人間よ。みじめで堕落した。フクロウみたいに眠れず、魔女のように醜い。私の血管には血の代わりに、赤ワインが流れている——私は書いている時、幸せなの」

すると画面が回転し、気づくと元の時代に戻っている。トーヴェ・ディトレウセン記念庭園内のカフェでビールを飲みながら、ウーエンダールはこう言った。

「トーヴェ・ディトレウセンは悲観的で孤独な人でした。しかし文学を通じ、女性の自立の道を示しました。社会を批判し、弱者のために闘った。トーヴェに乾杯。あなたは、かけがえのない人でした」

『トーヴェより　愛を込めて』、トーヴェ・ディトレウセン、2019（出版社への手紙を集めたもの）

詩集『女心』、トーヴェ・ディトレウセン、1955

海辺の歌と恋

雪田倫代

鹿児島から沖縄に連なる南西諸島のひとつに、加計呂麻島がある。そこで昭和十九年十二月、SとMは出会った。Sは震洋艇の特攻隊長、Mは国民学校の代用教員であった。Sは隊員に勉強をさせたいのでと、Mが勤める学校に教科書を借りに来ていた。峠越えで困っている老人がいれば、負ぶってやるようなひとだった。Mは、集落のオサの娘で、集落の中で憧れを一身に集め、子どもたちにも慕われていた。

Sが特攻命令を待つ身ではあっても、若い二人は恋に落ち、文を交わし親密になっていく。Sが手紙に（今夜九時頃浜辺に来て下さい、塩焼き小屋で待つてゐます）と書けば、闇夜のなか、潮が引いてあらわれた岩場を、素足を傷つけながら伝い歩き、会いに行った。岩かげや草むらにひそむ毒蛇をおそれながら。

子どもたちに歌をつくって歌わせた。

あれみよ　S隊長は
人情深くて　豪傑で
僕らの　優しいおとうさま
あなたのためなら　よろこんで
みんなの　命をささげます

この歌は、幼児さえも歌えるほど広まっていく。Mは授業のあいまに土も掘る。特攻隊が旅立ったあとには、この自決壕の中で島民たちはすべきことをするだろう。二人はさらにいくつもの手紙を送りあい、逢瀬を重ねる。やがて二人の最後の夏が来る。Mは短冊をSへ贈る。

「此の世に於ける、唯一の大事な願ひ事をたつたひとつ短冊に記して御星さまに御願ひしますと必ず、必ず、かなえて下さるさうです。きつと、きつと、かなへて下さいます」

八月十三日、旧暦の七月六日の夜、Sは特攻待機命令を下された。まだそれを知らないMは和歌を詠んでいる。

加那恋ふは塩焼小屋の煙の如く吾が胸うちに絶ゆる間もなし

兵隊のひとりがMのもとまで報せに来る。

「隊長が征かれます」

Mは母親の形見の喪服を着る。Sからもらった短刀も携える。父親へ宛てて手紙を残す。それから海辺へ行く。Sに逢うために通い慣れた海辺を歩く。どうしてだか毒蛇さえも怖くなくなっている。

「ティコホー、ティコホー」

島の梟が鳴く。隊長様や自分が死んでも、梟は鳴き続けるだろうと思う。Mは二人の場所へたどり着く。潮水につかり、傷だらけになっている。飛行帽、飛行服に、白いマフラーを巻くという、Mに初めて見せる姿で、Sはあらわれる。いつものようににこにこして言う。

「これは演習なんだよ」

海辺で、SとMはかたく互いを抱きしめる。

放したくない、放したくない
御国の為でも、天皇陛下の御為でも
この人を失いたくない
今はもうなんにもわからない
この人を死なせるのはいや
わたしはいや、いやいやいやいやいやいや
隊長さま！　死なないでください
死なないでください
嗚呼！　戦争はいや
戦争はいや

Sは穏やかに笑っている。
「心配することはないんだよ」
Mは震洋艇がいつ出撃してもいいように、海辺に正座して入江の入口を臨む。
征きませば加那が形見の短剣で吾がいのち綱絶たんとぞおもふ
大君のまけのまにまに征き給ふ加那ゆるしませ死出の御伴
二人が「死の棘」の日々を送るまで、あと九年と一カ月と、少し。

【参考】
梯久美子『狂うひと「死の棘」の妻・島尾ミホ』（新潮社）
島尾ミホ『海辺の生と死』（中公文庫）
島尾敏雄、島尾ミホ『愛の往復書簡』（中央公論新社）

芽吹くことなく死んでいく恋の種

李琴峰

男が支配する世界で、女は常に嫉妬深くて醜い生き物として描かれる。ギリシャ神話で、宴に招かれなかったことに恨みを持つ女神・エリスは、「最も美しい女神に」と書かれた黄金の林檎を宴会に投げ入れ、その林檎を巡ってヘーラー、アテーナーとアプロディーテーの三柱の女神が争った。清の紫禁城の中で、たった一人の皇帝の寵愛を得ようと、やはり数千人の女がいがみ合い、貶め合い、時には殺し合った。

女の闘争を描くそれらの神話や歴史を読む度に常々思う。男なんかを欲望せず、女たちで互いを愛し合えれば全てが平和に収まるのに、と。三柱の女神が林檎を分け合い、エリスも交えて女子会ならぬ女神会を開けば楽しいだろうし、紫禁城の女たちが結集すれば小さな都市国家が作れそうだ。

私は才能がある女を愛している。恋の情念に目覚める思春期の頃から、それははっきり分かっていた。才女に惹かれる私にとって、才女との出会いはおしなべて恋の芽を吹き、花を咲かせる可能性を秘める一つ一つの、小さな種だ。若い頃は今よりもっとときめきやすく、いつもそれらの種を後生大事にしていた。にもかかわらず、天性の根暗ゆえ口説く勇気が皆無で、一方通行の想いにひたすら悶え苦しむ日々が続いた。恋の種は冬の凍土の奥深くであえなく死滅するのがほとんどで、成長するのは稀である。

彼女はそんな才女の一人だった。名前からして、才能の輝きを纏っていた。詩文の香りと大空へ羽ばたく自由さを兼ね備える彼女の名前を、かりに「詩羽」と呼ぼう。

彼女と出会ったのは、人生で一番色鮮やかで、一番苦しい時期だった。知の羽が生えてきたばかりでまだ充分に育っていないにもかかわらず、激しい向かい風すら乗り越えて宙を飛翔できる鴻鵠（こうこく）のつもりになっていた、そんな時期だった。高校一年生の冬休み、私と彼女はとある文学キャンプで知り合った。

文学キャンプというのは台湾の歴史の中で生まれた独自の文化で、参加者が集まって数泊する合宿形式のイベントである。合宿期間中は作家や文学教授を招いて授業を行ったり、参加者同士で交流したりレクリエーションをしたりするのが普通で、誰でも参加できるものから学生限定のものまで、様々な形がある。

それは高校生限定の文学キャンプで、出発前から私と彼女はネットを通じて互いのことを知っていた。あの頃はブログが流行っていて、私も彼女も自分のブログを持っていた。彼女が綴る文章はさながら黒のビロードに銀の粉を満遍なくばら撒いたかのように奥ゆかしく、格調高く、ところどころ控え目な煌めきを宿していた。私は文字のフェティシストだった。真っ暗闇の中で名も知らぬ誰かに囁きかけるような幽玄の香りを纏うそれらの文字に、私はすぐ惹かれた。私は彼女と同じ地方都市の違う高校に通っていて、それぞれ文学キャンプが開催される首都・台北へ向かった。

キャンプ参加者は百人を超えていて、いくつかのチームに分けられていた。私と彼女は違うチームだった。会場に着いてから、私はずっと顔も知らない彼女を探していた。そして一日目の夜、首からぶら下げる名札で彼女を見つけた。彼女はぱっつんの長い黒髪で、眼鏡をかけていた。華やかな見た目ではないが、気品が漂う文学少女だった。

「あのっ」私は勇気を振り絞って話しかけた。「李琴峰です」

「あっ」と彼女は言った。「お名前はかねがね」

恋愛小説なら、ここからの展開が見せ場になるだろう。二人は満月を愛でながら夜の散歩をし、交わされる言葉の中で互いを深く知っていく。そして互いの瞳の中で、太古の昔に失った自分の半身を見出す。

ところが現実はそうではない。私たちは小さく頷き合った。それだけだった。

キャンプが終わり、私たちは知らない者同士としてそれぞれの日常に戻った。同じ都市に住んでいたとはいえ、世界が狭かった当時の私たちにとって学校が違うというだけでそれはもう途方もない距離だった。

あのころ私もまた文学少女で、しかも中国古典文学を読み耽るような、中国語圏ど真ん中の文学少女だった。私は李商隠の「身に彩鳳双飛の翼なきも、心に霊犀一点の通ずるあり」を読んではうっとりし、林黛玉の「花謝し花飛び、飛びて天に満つ、紅消え香り断ち、誰か憐れむ有らん」を諳んじては涙し、王羲之の「死生を一にするは虚誕たり、彭殤を斉しくするは妄作たり」を吟じては長嘆息していた。どんな思潮も主義もイズムもろくに触れたことがなく、社会も構造も権力関係も考えたことがなく、ただ孔子の説く仁と孟子の説く義を信仰していた。純文学を志し出した頃は、創作というのは悠久なる中国文学の伝統を受け継ぐのが最たる目的だと愚直に信じていた。創作の道を歩んでいけば、いつかは李白や杜甫や李清照と精神的に繋がれると思っていた。

半年後の夏休み、私は別の文学キャンプに参加した。それは六百人を超える大規模なキャンプで、偶然にも彼女も参加していて、しかも私と同じグループだった。それがきっかけで、私たちはまた連絡を取り始め、文学について色々語り合った。

彼女はいわゆる「張迷」、つまり張愛玲という中国の女性作家のフリークだった。もちろん張愛玲の華やかで物寂しい作風は私だって好きで、有名な作品は読んでいたが、彼女とは比べ物にならなかった。張愛玲の文章はとても古典的で香り高いゆえに、私は静かな場所にいなければとても集中して読めなかったが、彼女はと言えば、「本を開くと周りの音が勝手に遠退いて静かになる」とのことだった。そんな彼女は当然の如く張愛玲の生涯を熟知し、全作品を読破していた。

夏休みが終わり、私と彼女はそれぞれ二年生に上がった。私は二年生から学園誌を作る部活に入ったが、彼女は一年生の時から同じ性質の部にいて、二年生に部長になった。学校が違うとはいえ、同じ性質の部活同士として交流をしたり、合同イベントをやったりする機会が増えた。

台湾の学園誌というのは学内の文芸創作の振興活動を担う側面もあるため、校内文学賞、あるいは数校間の合同文学賞を企画・運営するのも仕事だった。私も彼女も文芸創作をしていて、時々自分の書いた小説やエッセイを互いに送って、意見し合った。公募文学賞の情報を交換したり、受賞したら祝い合ったりもした。苦悶に満ちた高校生活で、それらの文芸的な営みが私たちの世界を彩ってくれた。私も彼女も校内文学賞受賞者リストの常連だった。校外の公募文学賞は落選続きだったが、私たちは冗談を言い合った。「傷付いた心を癒してくれる校内文学賞があってよかったね」と、そんな具合に。

交流が増えたとはいえ、これらのやり取りは主としてメールやSMSを介するもので、実際に会う回数は数えられるくらいだった。私たちは学校も違うし、住んでいる家だって遠かった。私は都心部で部屋を借りて一人暮らししていたが、彼女は山の中の実家に住んでいた。東京の生活の規模感を基準にすれば、それは会おうと思えば決して会えない距離ではなかったが、当時の私たちの世界はあくまで狭かった。彼女は放課後ほぼ家へ直行していたし、私もまた適当に夕食を取るとすぐ借り家に戻り、パソコンの前に座って原稿を書いていた。さながら蜘蛛の網にかかっているのに自覚もない蝶々のように、私たちは限られた空間の中で、白い紙と黒いインクで積み上がった青春を謳歌していた。

あの頃、彼女には心を寄せる男がいた。その男を仮にNと呼ぼう。彼女がブログで綴る優美な文章の多くは、そのNに宛てたものだった。Nの顔も名前も私は知らないし、彼女とのやり取りから見えてくる人物像もまたぼんやりしたものだった。私たちより何歳か年上の、台北の大学に通う男子大学生で、顔もよくて才能もあるとのこと。背も高く、彼女曰く「キスに便利な身長差」らしかった。浮気を繰り返していたようだがそのことを彼女はあまり気にしていない様子で、早く台北に行って彼と一緒になりたいとばかり願っていた。「詩羽」。私は紙に何度も彼女の名前を書いた。文学の香りが漂うその二文字を繰り返し書いては、その響きを味わった。「詩羽」。

またしても冬休み。私と彼女は誘い合って、同じ文学キャンプに参加した。場所はやはり首都・台北。あの頃台湾にはまだ新幹線がなく、台北へ行く方法は数時間もかかる電車かバスしかなかった。バスの方が安かったので、お金がない私たちは当然バスに乗った。キャンプは二泊三日だったが、私たちは一週間台北に滞在し、残りの日はあちこち観光して回ることにした。宿代を節約するために、彼女の親戚の家に泊めてもらった。私たちは台北の観光名所や文学スポットを回った。故宮博物院、旧香居（古本屋）、女巫店（ボードゲームができるレストラン）、紅楼、西門町、林家花園。旅先においても彼女は文学の知識と情熱を余すところなく発揮していた。あるところに着くとこれは誰々の何々という作品の中で登場する場所だと言ってはしゃいだり、朱天心（しゅてんしん）『古都』の主人公の足跡を辿りながら民家の廃墟を写真に収めたりした。必ずしもついていけなかった私は、彼女の瞳の輝きにただ憧れていた。

大体その頃、私は彼女からある話を聞かされた。彼女は一旦休学し、高校二年生をもう一度やり直したいとのことだった。

「少し自分の心を整理する時間が必要なの」と彼女が言った。「本当にやりたいこととは何なのか、少し時間を取って、きちんと向き合いたいと思った」

彼女がそう決意する理由は私には理解できなかったし、永遠に理解できないかもしれない。心を整理するにしたって、やりたいことと向き合うにしたって、何も休学する必要はなかったはずだ。休学するということは、部活をやめ、部長の任を解き、同学年の人たちよりも一年遅れて卒業し、一年遅れて大学に入るということを意味する。そして進学至上主義の台湾では、その一年の遅れは将来に大きな影を落とす。少なくとも私にはそう感じられた。

「大丈夫よ」

将来のことが話題に上った時、彼女は言った。「本当にだめだったら、最悪実家で饅頭とかを売って暮らせばいい。生きていけないことはない」

それが彼女の勇気だった。そんな勇気を見せつける彼女が眩しかった。文学の道において、彼女は昔から私より勇気のある人だった。

私は寂しかった。彼女がそれまで以上に遠くへ行ってしまうことをどこか予感していた。私は彼女のような勇気が持てなかった。私は文学や芸術の力を信仰し、社会や体制に反抗的な生徒だった。周りが商学部や法学部など就職に有利な学部に入ろうと躍起になっていた頃、私はひたすら文学部を目指していた。それでも昔から、レールを大きく外れないよう注意深く歩を進めるようなところが私にはあった。彼女の決意がやがて私たちの歩む道を岐路へ導くことを予感し、私はただ寂しかった。

「寂しがる必要はないよ」

彼女から届いたメールにはそう書いてあった。「休学ってことはつまり、望めばいつでもそっちに会いに行けるってことだよ？」

もちろん、彼女はそうしなかった。休学している間、彼女は足繁く台北へ通った。彼女は台北にある文学団体に入り、積極的にその集会に参加した。私はあいかわらず進学のために勉強する日々を過ごした。書き上がった小説やエッセイを公募文学賞に送っては、時々小さな賞をもらったりもした。ひょんなことで、私は彼女が入っていた文学団体の人との間に軋轢が生じ、それが更に彼女を私から遠ざけた。

高校三年生に上がると、受験勉強はいよいよ本格的になった。私はインターネットの回線を引っこ抜き、メールを含むあらゆる情報を遮断した。

十八歳の誕生日、私は公衆電話で彼女に電話をかけた。

「誕生日おめでとう」

電話口で彼女は気怠そうに言った。それだけだった。私は電話を切った。

その後私は台北にある台湾の最難関大学の文学部に受かり、目まぐるしく展開する新生活にあっという間に呑み込まれていった。彼女は一年遅れて台湾の東の方の大学の文学部に入った。心理的にも物理的にも、私たちは遠く離れていった。

大体同じ頃、私と彼女はLGBTやクィア理論、アイデンティティ・ポリティクスに触れ始めた。それが私たちの見える世界に変貌をもたらした。ある年の台北プライドパレードに彼女も参加し、私たちは再会した。自分はバイセクシュアルかもしれない、と彼女が言った。

私たちはまた連絡を取り始めたが、住んでいる場所があまりにも遠かった。知り合ってから数年も経ち、会わない日々も長かった。私には私の生活、課題、そして恋があり、それは彼女にしても同じことだった。一度開いた距離は、ついに二度と埋まることはなかった。そちらに転校したいから、転校試験の勉強のために文学部の「文学概論」の授業を録音してほしい、と頼まれて、私は一学期分の授業を録音した。録音したファイルを渡そうとする時、彼女はまた、転校はもうやめたと言った。

それきりだった。

フェイスブックの台頭により、昔の知り合いの近況が好むと好まざるとにかかわらず目に入ることがある。そのせいで私は彼女のその後を断片的に知ることになった。文学の香りが漂う名前の、真っ白な翼を備えたその女の子は作家にはならず、とある若手男性作家と結婚し、そして数年後に離婚した。私と彼女は二度と連絡を取ることはなかった。

芽吹くことなく凍え死んだ若き恋の種を、私は時たま記憶の凍土から掘り返し、優しい手つきで愛でてやることしかできない。

恋愛できない上方落語

神野龍一

会えないとままならないのがビジネスと縁結び。自粛期間の中で一人悶々と過ごしている方も多くおられると思います。そんなときこそ焦らずに腰を据えて、忙しい普段では取り組めなかった分厚い本を読んだりといった大きなことに挑んでいる人も多いのではないのでしょうか。日常を忘れるために読んでいた本に案外これからの生き方のヒントを発見したりも。先人たちがそうであったうように偉大な作品から滋養をとりだしてこそ文藝。自分も古典作品を紹介して、恋愛についてなにかのヒントを授けれればと思っております。といっても自分にとっての古典とは「古典落語」のこと。我々の国には「オデュッセイア」がなくとも「三十石」があり、「ドン・キホーテ」はなくとも「胴乱の幸助」があり、「神曲」（すごい曲、という意味ではありませんせん念の為。ダンテです）がなくても「地獄八景亡者戯」がある。実際、江戸の昔から商売人の旦那は丁稚の若者に暇があるとお駄賃をわたして「落語でも見に行きなさい」と言っていたといいます。それは、ただ時間をつぶさせるというだけではなく、落語の中に登場する人々のやり取りから商売に重要なコミュニケーションの勘所、それは時節の挨拶だけでなく仕草や目線のやり方なども含めた文までを通して学んでほしい、逆に「したら野暮に見えてしまうこと、失礼にみえたり笑われてしまうこと」を学んでほしいという意図もあったようです。

　そんなコミュニケーション指南の宝庫である落語の中にも、恋愛はいくつも登場します。しかし今回は恋愛を主題においてあるような人情モノ（文七元結、紺屋高尾etc.）や、まるでそういったロマンスを批評的に描いた近代文学的な趣さえある、若旦那たちの恋患いを元にしながらそれが全く主題化されずにそれに右往左往される人物を描いた「崇徳院」のような作品などもあるのですが、それらの話は脇においてもっと「役に立つ」別の話を紹介したいと思います。

　上方の古典落語「猫の忠信」の主人公は義太夫を習っている素人衆。しかもそのほとんどがあわよくば別嬪の義太夫の先生をものにしたい、という下心を持って通っている「あわよか連」と呼ばれる連中たち。そんな中でも、ろくに稽古にも来ないで近々会が行われることさえ知らなかったくせにいちばん古株だという理由だけでいばりちらした男が、見せ場のある場面をもたせてくれないという理由で拗ね出します。しまいに、別嬪の先生にはもう決まった常吉という相手がいるということを言いふらしてもうここには来ないとその場を去ります。

それを聞きながらも半信半疑だった次郎吉も、先生と常吉の逢瀬の場面を目撃してしまいます。それを見て勝手に裏切られただの自分の気持をフイにされたと面白くない次郎吉。しまいには悋気持ち、つまりやきもちやきの常吉の女房に旦那の不倫を吹き込んでやろうと画策します。

針仕事をしている女房にそのことを吹き込むとたちまち逆上、しかしそれを「今さっき見てきた」といった途端に女房の感情はおさまります。不思議に思った次郎吉が尋ねると、旦那の常吉は今日ずっと奥の部屋で寝ているというのです。そんな馬鹿なと思った瞬間に奥から現れる常吉。そこで次郎吉は滔々と説教を受けることになります。

「友達というものは、えらい親切なもんやな、おい。よしんばそういうことがほんまにあったとせえ。その留守に嬶の所へたきつけにきて、夫婦喧嘩さしたり、夫婦別れさしたりするのが友達のすることか、おい。陰へまわって、あれではおとわはんが可哀そうやないかとか、お前のやってることええかげんにしときやとか、わしに言うてくれてこそ友達やないかい。（中略）だいたいお前そんなことうちへ言うて来られた義理かい。こんなこと言いとうないが、三年前の暮れ、あっちゃこっちゃに借金こしらえやがって、揚句の果てに人にも言えんような病気患うて、医者には診せんならんわ、借金取りに攻めたてられるわ、あの時友達たのんで金集めて、たとえ十日でも有馬へ湯治にやった。あれは誰のおかげやったんや」

この説教の中で、身も蓋もなく対比されてしまっているのが人の器の違いです。最初に現れた自分に見せ場をくれないと拗ねる男や、人の醜聞を発見した途端、それが自分の恩人でも身内に焚き付けに行く男。それに対して、常吉は自分の女房に吹き込んでいる最中でも取り乱さず、自分なら友達をかばうだろうと語り、実際過去にそうしたことを説教します。この常吉、義太夫の会でも見せ場を任されていることから、おそらく周りの信頼も厚いことが推測されます。前者の二人が下心で義太夫に通い、それが思ったように行かないと逆上してしまうというあけすけな軽薄さに対して、常吉は常に一度物事を自分の中で一旦受け止めて、ちゃんと肚に収めようとします。またそれ故に、やきもちやきの女房ともうまくやれるのでしょう。その差が、人の器の違いとしてここに現れています。少なくとも、「口の軽いやつ、年長と言うだけでいばるやつ」はあまり恋愛はおろか、信頼からも縁遠い扱いをされてしまうということをこの話は教えてくれるのではないのでしょうか。

ちなみにここから話は二転三転し、驚くような結末を迎えるのですが、それを書くには紙幅がつきてしまったようです。それは、この話に興味を持った皆さんでぜひご確認ください。

参考文献：「猫の忠信」二七・二八頁、『桂米朝コレクション五　怪奇霊験』ちくま文庫

花は視線に復讐する——IZ*ONEのカムバックに寄せて

松本友也

アイドルと花の比喩

「時は来た／長い待ち時間は終わり」——K・POPガールズグループIZ*ONE（アイズワン）が今年二月にリリースした新曲「FIESTA」の歌い出しには、制作時には想定もしていなかったであろう意味が加わることとなった。本来のリリース時期だった昨年一一月、「デビューのきっかけとなったオーディション番組における不正順位操作の発覚」という最悪の事件によって、予定していた新曲公開もコンサートもすべて中止となり、実質的な活動休止に追い込まれたからだ。番組プロデューサーらは詐欺容疑で起訴され、同じシリーズからデビューしたボーイズグループX1は一月に解散が決まった。IZ*ONEも一時は解散が免れないという空気が濃厚で、ファンは文字通り先の見えない長い待ち時間を過ごすこととなった。

さまざまな事務所から一二人のメンバーが集まるIZ*ONEには、元より二年半という活動期限が明確に設定されていた。今回の活動休止騒動で何より辛かったのは、元々限られていた貴重な時間が削られていくだけでなく、デビュー当初から「終わり」に向かって明確に組み立てられてきたプロデュースのコンセプトの、その結末を見届けられないかもしれないということだった。

もちろん、結果的にIZ*ONEは約三ヶ月の休止を経てこうしてカムバック——K・POPでは、新曲リリースのことをそう表現する——でき、新曲「FIESTA」はTWICEの記録を抜き去り、歴代ガールズグループで最多セールスを記録したのだから、万事結果オーライと言うこともできるかもしれない。むしろ、今回の出来事は明らかにセールスに貢献している。活動を休止していた期間の分、IZ*ONEの活動期限が延長されることも決まり、運営会社のCJ ENMは今後IZ*ONEの活動から得られる収益をすべて放棄するという発表まで行った。もはや何の問題もないではないか。

アイドルというジャンルが、若い人生の一時期を素材として、その「成長」によって一つの結果に向かっていくプロセスを避けがたく商品化する興行であることの暴力性。そんな「他人の人生の消費」に途中で横槍が入り、その「終わり」が見届けられないかもしれないと嘆く自分を含めたファンの浅ましさ。それらも、アイドルを観る以上は必ず付きまとう、言い訳も開き直りも許されない類のよくなさなのだから、今回の事件がとりわけ悪質で、ジャンルの構造的な問題を露わにしてしまうものだったとしても、それがグループや作品に特別影響を及ぼすということもないだろう。

しかし、今回の件が本当にIZ*ONEのパフォーマンスを観る経験に大した影響を与えないのだとしたら、なぜこんなにも「FIESTA」という楽曲に、あるいはデビュー以来、「La Vie en Rose」に「Violeta」と継続してきた「花」というコンセプトに、特別な感慨を抱いてしまうのだろうか。誤解を恐れずに、かつ時系列も無視して——当然ながら、アルバムリリース直前に発覚した今回の事件よりも前に「FIESTA」は制作されている——あえて言うならば、「花」というコンセプトは、まさに今回の事件への「応答」のように感じられるのである。

「花」という比喩は、蠱毒(こどく)めいたサバイバルオーディションを出自とし、前述のような活動期限をもつIZ*ONEの来歴や、そもそも限りある人生の一時期を輝かせんとする「アイドル」の本質への自己言及として用いられているように感じられる。そしてその自己言及は、必ずしもポジティブなものではない。棘のある薔薇(La Vie en Rose)に毒のあるスミレ(Violeta)と、IZ*ONEがこれまでのリード曲でモチーフに掲げてきた「花」は、ステレオタイプな可憐さをもった花というよりは、むしろ過剰にシンボリックな表象をまとった不穏な花である。明るい肯定でも、はっきりとした否定でもない、曖昧であるがゆえに雄弁な不穏さ。それが率直な印象だ。

そして、その過剰な難解さには明らかに意図が感じられる。メンバー自身でさえ「私たちがこういう曲でデビューするとは思わなかった」[1]という趣旨の発言をしたほどに、その自閉的な色彩は普段のIZ*ONEのメンバー一二人の快活で無邪気なキャラクターとはおよそ合致しない。素の表情を丸ごとファンに提示する「アイドル」的な手法ではなく、むしろその素顔にベールをかけようとする演出の意図——それはあたかも、アイドルのグロテスクな本質を「花」という比喩で正面から描写しつつ、そのうえでその「花」のモチーフを、消費の視線に抗うような形に読み替える理路を探っているかのようだ。その抵抗は単なる言葉遊びに留まらず、身体を視線の前にいかに提示するのかという水準においても、すなわちダンスにおいても見出すことができる。

花と化すためのダンス

IZ*ONEのリード曲のダンスは、一糸乱れぬ一二人の身体による徹底した造形である。一曲を通じて、目まぐるしく形を変えながらも全体でひとつの花を表現し続ける群舞。フレーズごとに入れ替わる中心では、歌唱メンバーが全体の造形を維持するための緊張を解放し、力強いカタルシスを生み出す。その一連のプロセスは、観客に向けられたパフォーマンスというよりも、まるで彼女たちのなかで粛々と進行する儀式のように感じられる。

踊るメンバーの動きには、観客に見せるための「表情」が存在しない。正確に言えば、「かっこいい」「かわいい」といった情動を喚起させる企図が希薄であるように見える。あくまでも自閉的に、一二の身体の細部に至るまでが素材として用立てられ、ひとつの「花」を造形するために捧げられている。素顔を覗き込まんとする視線の期待は、満たされることなくその「花」へと吸い込まれていく。むしろあまりにも繊細な造形性は、観る側に独特の緊張さえ強いる。視線で捉えきれないという驚きは、「覗き込む欲望が満たされることなく絶えず引き延ばされる」という快を生み出し、いわば欲望はそこで満たされないことによって満たされている。

誘発される凝視は、「花」を模している曲線的に分節化された動きの、極度の細やかさや緩急によってさらに翻弄されていく。ミニマルすぎるゆえに、「振り」という単位を明確に構成しえない、ただの「動き」としてしか認識できない動作。それが一二人でぴたりと揃うことで、初めて有意味な「振り」として眼前に浮かび上がってくる。見えているはずなのに見えていない、つねに錯覚めいて予期せぬところから現れる動き。意図されていないはずの偶然的な動きが、なぜか揃ってしまうことへのワンテンポ遅れた驚き。毎度視線の裏をかかれることによる、心地よい宙吊りの感覚の中毒性。IZ*ONEの「花」のダンスは、等身大の身体を差し出すどころか、それを期待する視線ではまったく捉えることの敵わない幻妖な身体を提示する。自然な身体が少しも残らないほどに全身を使い尽くすことで「花」へと、人ならざるものへと化ける。それはいわば、人を覗き込む視線への復讐である。

人を花のように鑑賞する

パフォーマンスを通じて人ならざるものに化けるとして、その対象に「花」が選ばれていることの意味をもう少し掘り下げてみたい。芸能の分野において、人を「花」に喩える表現に最もこだわっていたのはおそらく、能楽の大成者・世阿弥だろう。彼はまさに「花」という比喩を用いて、人を鑑賞したがる観客の欲望と、それを満たしつつも主導権までは奪われまいとする演者の矜持との闘争の場として芸能を定義した。たとえば世阿弥が後世のために書き記した能楽書『風姿花伝』には、能が生み出すべき美的な感動を、季節ごとに咲いては散る「花」に喩えている箇所がある。

> この口伝において能の花の何たるかを知るということについて。まず例えば、花が咲くのを見たときの感動をもって、能の美的感動を「花」とたとえるに至った理由を理解せねばならぬ。
>
> いったい、花と言った場合、あらゆる草木において、四季の時々で咲くものであるから、ちょうどその季節にあたって新鮮な感動を呼ぶので、賞翫するのである。申楽の場合でも、観客が心の中

> で新鮮な魅力を感じることが、そのまま面白いということなのである。「花」と「面白さ」と「めずらしさ」と、この三つは同じことなのである。どんな花が、散らずにいつまでも咲いているであろうか。そんなことはあり得まい。散るからこそ、咲いたときにはめずらしさを感じるのである。

（引用は世阿弥『風姿花伝・三道　現代語訳付き』（角川ソフィア文庫／Kindle版）の竹本幹夫訳より、強調は引用者、以下引用はすべて同書より）

季節の巡りに合わせ、咲いては散る花の「めずらしさ」。「いつまでも咲いている」花ではなく、短い命だからこそ生まれる「新鮮な魅力」。それこそが能の目指すべきものであると世阿弥は語る。単なる美しさではなく、その美しさが偶然性と時限性を備え、ただそこにあるだけで得難いものであると感じられることで、観客にとって魅力あるものとなる。改めて言うまでもなく、これはアイドルという芸能の本質としてここまで言及してきた内容ともほとんど重なっている。世阿弥の時代から今日まで変わらない、気まぐれな観客の存在に左右される大衆芸能の難しさ。鑑賞眼のない観衆が喜ぶような演じ方にも習熟しておかなければ、一座は食べていけない。そんなきわめて現実的で、シニカルでさえあるような「心得」も世阿弥は残している。

さらには、演者の技術を客観的に評価するのではなく、贔屓目や好みに左右され、「めずらしさ」に惹かれる観衆の気質が最も極端にあらわれる例として、世阿弥は「若さの魅力」を挙げている。十代～二十代の演者が持つ若さゆえの魅力は、時に円熟した名人の演技よりも観衆を魅了する。その魅力を、世阿弥は「時分の花」と表現した。習熟の末に身につけられる「まことの花」とは異なり、良くも悪くも存在そのものが放つ一時的な魅力。世阿弥は、この魅力を非本質的なものとして退けることなく、むしろ観客を喜ばせる「花」の一例として評価する。たとえば『風姿花伝』のある想定問答のなかで、世阿弥は「名人が若輩の役者に競演で負けることがあるのはなぜか」という問いに次のように答えている。

> 答え。これこそは、前に「年来稽古条々」で述べた、三十歳以前の若さゆえの一時的な魅力である。ベテラン役者がすでに芸の魅力がなくなって、時代遅れになってしまっているような時に、新人が新鮮さの魅力で勝つことがある。だが本当の目利きは両者の実力の違いを見分けるであろう。そうすると、役者同士よりは、鑑識眼のあるなしという、舞台評の優劣ということになろうか。

経験を重ねた「名人」よりも、若く未熟な演者の「めずらしさの花」のほうが強く観客を惹きつけることもあるという理不尽な事態。続く指摘も実に辛辣だ――「どんなに有名な木であろうと、花が咲いていない時の木を見るだろうか。ありふれた桜のつまらない一重であろうとも、初花が色とりどりに咲いているのを見るだろうか」「能の世界ではただ芸の魅力こそが最重要であるのに、その魅力がなくなってしまうのも認識せずに、昔の名声ばかりに頼ろうとすることは、古株の役者の、甚だしい誤りである」。ベテランの技術や経験を相対化しつつ、若さの魅力を侮ることなく評価する世阿弥の厳しさは、そのまま当時の観客の残酷さを反映していると考えるべきだろう。観客たちは、若さから生まれる愛らしさや初々しさ——さらに言えば「うまくはできないのにやろうとする」ことのいじらしさ——の魅力に抗えない。純粋な技術とは関係のない、演者自身の生の背景も含めて、観客は演者を消費する。世阿弥の「花」の比喩は、そんな観客の習性と、そこに適合しつつも抵抗する演者の矜持とが相互浸透する芸能の舞台において、そんな演者のアンビバレントな努力を表現するために用いられた概念である。「花」という比喩のもつ不穏さは、芸能という領域の本来もつ不穏さがそのまま写し取られたものなのである。

季節の消費に抵抗する

IZ*ONEの「花」コンセプトもまた、人格や「素顔」まで含めて消費されることの避けがたいアイドルというジャンルにおいて、視線を惹きつけつつもそれを巧みに躱す演者の複雑な戦略を、ひとつのモチーフに集約するためのものだった。等身大の身体がもつ輝きではなく、象徴のベールに覆い隠された昏(くら)い輝き。それは確かに、舞台の上で消費の目線から能動性や尊厳を守り抜くために、有効な手立てだったと言えるだろう。アイドルの条件である観客の視線の存在を、それを頓挫させることによって結果的にあぶり出すという、批評的なコンセプトでさえあり得ている。

とはいえ、舞台から下りるかどうかを決める権利がアイドルにない以上、究極的にはそのメッセージも気の利いた自己言及以上のものではない。だからこそ、結果的に生じた解散危機という外的事情を前に、このコンセプトが積み上げてきた抵抗のメッセージまでもが、崩れてしまうような感覚が生じた。アイドルをとりまく現実に対して、その自己言及はもはや十分に追いついていないように、ただの言葉にすぎないもののように感じられた。

しかし、だからこそ、「花」三部作の完結編として「FIESTA」が提示したメッセージが、制作後に起きたはずの事件に対しての、あるいはアイドルを存在させる「舞台」という条件に対しての、これ以上ない「応答」となっていたことに驚かされたのである。そこで歌われていたのは、ただ自らのためだけに歌い踊る、文字通りの祝祭(フィエスタ)だ——「ただ私のための／祝祭をひらくよ／その時はやっぱり私が決める」。これまで観客に対して沈黙を貫いてきたIZ*ONEが、初めて「観客」に発したメッセージ。それは、あなたたちがいなくても、私たちは「永遠に」輝き続けるという、拒絶と自由の宣言だった。アイドルという存在と不可分なはずの観客の視線も興行の論理も置き去りにして、IZ*ONEはただ自らのための祝祭を歌う。「時分の花」の短い季節は、勝手にそこに自らの人生を重ねようとする観客のためではなく、ただ自身の輝きのために謳歌される。仮にカムバックに失敗して解散していたとしても、この曲が聴かれないままに終わっていたとしても、この楽曲で歌い踊る彼女たちは存在し続け、その季節を自らの手で、自らのために終わりに向かわせる。言うまでもなく、これは単なる放言ではなく、パフォーマティブなメッセージだ。彼女たちは観客の視線に言及することで、観客の視線を拒絶することで、観客の抱える加害の懊悩にコンタクトしてみせたのである。いまや彼女たちは、観客の視線に応える必要も、お願いする必要もない対等な立場から、ただ気軽にこう呼びかける——もしもあなたたちがそうしたいのなら、「一度くらいは遊びに来て」と。

Fiesta　私の心に太陽をぐっと飲み込んで　永遠に熱く沈まない　このすべての季節　私のすべての季節　毎日華麗なこの祝祭　一度くらいは遊びに来て　It's my fiesta.

——IZ*ONE「FIESTA」（訳出は筆者による）

註

（1）『MUSIC MAGAZINE』二〇一九年四月増刊号（六八六号）より

誰が「百合」を書き、読むのか

レロ／中村香住

はじめに　百合に関する言説に感じる違和感

私は、百合について書かれた文章（それ自体あまり多くはないのだが）を読むたびに、もどかしく思っていた。違和感を感じていた。そこに書かれている「百合」は私の経験してきた、自分の血肉となっている「百合」とは何かが決定的に違う。ここには私の知っている「百合」のことが全然書かれていない。そんな気がしていた。

先回りして断っておくが、本稿で論じたいのは百合の定義問題ではない。範囲をもっとも広くとれば、女性同士の恋愛関係のみならず、女性と女性の間に大きな感情（よく「巨大感情」と言われるが）が生じているものはすべて、特別な関係性や複雑な関係性、場合によっては憎しみあっているような関係性ですら、「百合」であると言える可能性がある。現在、良識ある百合オタクの間では、「百合」の定義は人それぞれであり、一意に定まるものでもないし定めるべきものでもないというのが定説となっている。私もこの考え方に賛同している。よって、ここでは百合の定義云々ではなく、百合を読み書きする主体として誰が想定されている／いないのかという点について、百合の歴史を紐解きつつ考えてみたい。

私のバックグラウンドについて先にお伝えしておこう。私は小学生の頃からさまざまなオタクジャンルの沼にずぶずぶと引きずり込まれ、頭まで浸かり、沼から沼へと渡り歩いてきた。そんな私だが、小学五年生の頃に自分の恋愛対象が女性であるということを自覚したこともあり、どんなオタクジャンルにハマった時にも常に自分の楽しみ方の根底にあったのは「百合」という視座であった。そのため、私の周りの仲良くしているオタクの多くも、百合を楽しみ、時に読んだり書いたりする人たちであった。私の Twitter のタイムラインを眺めていれば、息を吸うように百合情報を摂取することができる。そんな環境で育ち、生きてきた。

女性の女性による女性のための百合

そんな私にとっての百合は、まず第一に、女性の女性による女性のための創作活動だった。もちろん百合には男性の書き手もいるし、そのなかには非常に素敵な作品を書く人もたくさんいる。そのことを否定するつもりは毛頭ない。ただ、出発点として女性による女性のためのジャンルとして始まったという歴史的経緯は忘れてはならないと思う。

現在の日本の商業百合を牽引する雑誌『コミック百合姫』の編集長である梅澤佳奈子も、インタビューのなかで「百合の歴史でいえば、さかのぼっていくと吉屋信子から続いてきた少女小説の歴史があり、少女漫画のなかでも女性同士の恋愛はひとつのジャンルとしてありました。そうした女性がひそやかに楽しむ流れのなかで少女小説『マリア様がみてる』が生まれました。このころから、女性同士ならではの清らかな関係性に心をつかまれた男性が増えてきたと思います」と述べている(1)。また、『コミック百合姫』の前身であり日本初の百合専門誌であった『百合姉妹』(二〇〇三年創刊)についても、梅澤が「最初は女性向けの漫画雑誌を目指していました」「当時のメイン読者層の七割は女性でしたね」と証言している(2)。

今では男性の百合オタクも増えてきて、ジャンルやイベントによっては男性の割合のほうが多い場合も出てきたが、それでも女性は無視できない程度の割合存在し続けている。また百合同人イベントでも、サークル参加者、つまり書き手・作り手は、今でも女性の割合のほうが多いとされている(3)。

「当事者」女性の表現活動としての百合

私にとっての百合は第二に、非異性愛女性の表現の場だった。もちろん、異性愛者の女性も百合を楽しむことがあるし、書くこともある。異性愛女性と非異性愛女性の分断がここでの目的ではない。便宜上「非異性愛女性」と表現したが、そもそもセクシュアリティを異性愛と非異性愛の二つに簡単に分けることなどできないということそのものが百合ジャンルのテーマの一つだろう。

私がここで言いたいのは、百合の書き手や読み手のなかには、百合で描かれるような女性同士のさまざまな親密な関係性や恋愛関係・感情の「当事者」もかなりの割合存在するということだ。もともとセクシュアルマイノリティであると自覚している女性はもちろんのこと、異性愛女性であると自認している百合オタクも、時に「当事者」になることがある。

「百合」の出発点を振り返ってみれば、そもそもこの語の発祥自体が、ゲイ雑誌『薔薇族』編集長の伊藤文學が、男性同性愛者を表す「薔薇」の対になる言葉として、女性同性愛者という意味で「百合」を提唱したところからきている(4)。百合創作に絞って考えてみても、百合小説の祖とされる吉屋信子には、女性のパートナーがいたことが明らかになっている。ほかにも、百合を愛好する主体として広い意味での「当事者」が大きな位置を占めていたことの証左として、初期の『コミック百合姫』にあった「百合道場」というコラムが挙げられる。このコラムでは、百合小説を数多く執筆しており、バイセクシュアルであることを公言している森奈津子が、同性に恋心を抱いた女性読者からの相談や質問に回答する場面が多く見られた（5）。初期の『百合姫』にはとくに、レズビアン・バイセクシュアル女性のための雑誌という側面も強く存在していたのである。

また、これはレズビアン小説・漫画が商業的に一ジャンルを形成し得なかったことも関係していると思うが、良くも悪くも日本において百合小説・漫画とレズビアン小説・漫画はゆるやかに連続しており、簡単に区別することはできず、それらをすべてまとめて「百合」という大きな枠組みで指すことが多い（6）。この点は、BLとゲイ漫画が内容の面でも売り方の面でもかなり明確に区別されてきた（7）ことと対照的である。

「良くも悪くも」と述べた通り、これには功罪があると思う。一方で、これは日本におけるレズビアンの「不可視化」と重なる現象である。杉浦郁子は、現代日本におけるレズビアン差別の特徴は「見えにくさ」にあると言う。そして、女同士の絆そのものが家父長制の体制維持に必要とされていないことから見えにくくなっていることを指摘したうえで、「女同士の情緒的な交わりは、性的か否かの弁別にさらされず、曖昧なまま濃密な関係を継続することが許されており、結果として、女性の同性愛的欲望が確認されにくいという事態を生み出している」（8）と述べている。つまり、とくに日本においてはレズビアンがレズビアンとしての欲望やアイデンティティを社会的に認められるような形で確立することが難しい状況が続いてきたがゆえに、フィクションの場においても「レズビアン小説・漫画」という一ジャンルを形成することができず、そのために「女同士の情緒的な交わり」を描いた物語はすべて「百合」ジャンルに回収されてきたとも考えられる。

しかし、もう一方で、この百合の「曖昧」さ、射程の広さは、さまざまな「当事者」を救済してきたのではないかとも思うのだ。レズビアンというアイデンティティを確立させることは社会的に見れば非常に重要なことだが、個人のレベルで見れば、セクシュアリティのカテゴリーをアイデンティティとして引き受けることに抵抗がある人はまだまだ多い（もちろんそれは裏を返せば、日本におけるレズビアン・アイデンティティの不可視化と地位の低さのせいでもあるのだが）。それから、「クエスチョニング」という語に代表されるように、セクシュアリティに揺らぎを感じている人や、一つのカテゴリーに自分の恋愛・性愛のありようを収めることに疑問がある人、セクシュアリティを決める必要を感じていない人もいる。また、先に述べた通り、異性愛者だと思っていた女性が、何かのきっかけで、女性同士の親密な関係性や恋愛関係の当事者となることもある。

そうした多様な当事者たちにとって、自分のアイデンティティをはっきりさせずとも楽しむことができ、場合によってはジャンル愛好者との交流を通じて自分と近しい「当事者」にも出会うことができる「百合」は、日常の異性愛規範による抑圧から解き放たれたセーフスペースになりうる。自らのセクシュアリティを決めたりセクシュアルマイノリティであるかないかを開示したりせずとも参加できるコミュニティで、かつ異性愛規範を前提としない場というのは、実は現在の日本にはあまりない。百合はその貴重な場の一つだと私は捉えている。

「当事者」にとって、百合は、フィクションとして楽しむものであると同時に、自分のセクシュアリティや恋愛・性愛のありようを照らし返すものでもあり、時に自らの感情や欲望を肯定されたように思えてエンパワーされることもあれば、時に自らの痛みを伴う過去の体験を追体験させられてグサッと「刺さる」こともある。もちろん、登場人物にそこまで感情移入せずもっと俯瞰した第三者の視点から百合を楽しむ当事者も多いが、それにしてもそこで描かれているのは女性同士の何かしら特別な関係性なのであり、それが作品に肯定的に描かれていること、存在を許されていることそのものが、現実世界ではまだまだ偏見や差別に直面している当事者たちにとって、ホッと一息ついて安心して物語を読める材料になっている。

また、「当事者」が百合を書く場合、そこには、普段なかなか表立って発露することができない自らの恋愛や性愛にまつわる感情や欲望を、フィクション作品という形で昇華させる意味合いが含まれることも多い(9)。このような意味で、百合は確実に、「当事者による表現活動」という一面を持っている。

「当事者」女性を疎外する百合言説

しかし、世の百合に関する言説を見ていると、この言い方はいささか戯画的すぎるかもしれないが、「女性同士のいちゃつきを外の安全な位置から眺めて『消費』する異性愛男性」が標準的な読者として想定されているように思えてしまうことが結構多い(10)。そこまで言わずとも、いわゆる「当事者」の女性の存在が百合に関する言説から疎外されてしまっているように感じることはしばしばある。

たとえば、一九九〇年代から百合小説を執筆し続けている中里一による個人サークル「西在家香織派」は、二〇〇二年にサークルのＷｅｂサイトに書いた記事のなかで、百合を「非レズビアンの立場から書かれた非ポルノの女性同性愛(もしくはそれに近いもの)のストーリー」と定義している(11)。「『非レズビアンの立場』であって、『非レズビアン』でないところに注目」との注記はあるものの、「レズビアンがレズビアンとして書いた女同士の恋愛小説は、百合ではありません」と明言されている。要は、当事者性を持ったものは百合ではないということだろう。

この定義が書かれたのは二〇〇二年であるため、この当時は「当事者」を疎外するような風潮もあったが、今はそうではないと主張する向きもあるかもしれない。もちろん私もそう思いたいし、私が知っている百合界隈では当事者の疎外なんて現象はまったく起きていない。しかし、近年の「百合」を新しく（新しくないのだが！）興隆してきた商業出版ジャンルとして位置づけ、メディアで一般に向けて紹介する動きのなかでは、どう考えても当事者をジャンルの主体の一部として想定していないようにしか思えない言説や態度が実際に見られる。

ケーススタディ　「百合」と「LGBTQ」の関係性についての宮澤発言の分析

二〇一八年から二〇一九年にかけての動きを取り上げたい。早川書房の老舗文芸誌である『S-Fマガジン』が、二〇一九年二月号で百合特集を組んだ(12)。とくに古のSFファンからは賛否両論あったようだが、出版前から話題を呼び、異例の出版前重版（それも二回）をしたとあって、商業的にはひとまず成功したと言えよう。その『S-Fマガジン』百合特集号にも百合SF小説を寄稿している宮澤伊織に、同人誌「最悪にも程がある」が話題になった百合漫画家のいとうを聞き手にしてインタビューした二〇一八年の記事(13)のなかで、非常に引っかかるやりとりがあった。

　この記事の主旨であると思われる、二〇一八年は百合の多様性が開花した年だという主張には私も概ね同意する。もちろん実際には今までにもすでに様々な形の百合作品があった点は見過ごされてはならないが、二〇一八年は印象に残る作品が多く、『リズと青い鳥』劇場公開や『やがて君になる』のアニメ化もあったし、百合が次の時代や段階に到達した感じがすると私も百合界隈の仲間内で話していた。

　しかし、この記事の最後、突然このようなやりとりが行われる。

――百合やBLが、社会を反映している可能性は面白いと思います。
宮澤：一方で百合やBLは、必ずしも現実社会のLGBTQの問題に親和的とは限らないんですよね。同性間の関係を描きつつも、ときには対立することもありうる。例えば既存の婚姻関係、恋愛関係にLGBTQとしてコミットすることを目指している人にとって、そこから外れることを積極的に肯定するような百合やBLの作品は不愉快なものとして受け止められるかもしれない。

　この宮澤の受け答えは、ほとんど意味不明である。一文目の「一方で百合やBLは、必ずしも現実社会のLGBTQの問題に親和的とは限らないんですよね」は、まあ確かにそういう場合もあるかもしれない。二文目の「ときには対立することもありうる」もわからなくはない。たとえば、かつてやおい／BLについて石田仁が指摘したように(14)、百合においても他者表象の問題はありうるだろう。石田が指摘したのは、やおい／BLのなかでは男性同士の親密な関係性が描かれつつも、その表象自体が「他者化」され、自分とは無関係なものとして切り離されるという「表象の横奪（おうだつ）」が起きており、ゲイ当事者に対して暴力性を持ちうるということである。百合作品において、この「表象の横奪」の対レズビアン版が起きる可能性はある(15)。

だが、その例として挙げられている「既存の婚姻関係、恋愛関係にLGBTQとしてコミットすることを目指している人にとって、そこから外れることを積極的に肯定するような百合やBLの作品は不愉快なものとして受け止められるかもしれない」は徹頭徹尾意味不明である。まず、「百合やBLの作品」について当事者との関係性を考えるのであれば、基本的にはレズビアンとゲイ、場合によってはバイセクシュアル女性／男性、パンセクシュアル、クエスチョニング、クィアなどについて取り上げればよいはずであり、性的指向ではなく、性自認と自身が出生時に割り当てられた性別との相違が問題となる「T」(トランスジェンダー)を取り上げる理由はよくわからない(16)。「LGBTQ」をセクシュアルマイノリティの総称として使用しているとしても、百合やBLと当事者との関係性を考えるうえでセクシュアルマイノリティ全体を雑駁に参照するのは、乱暴に思える。

何よりも、「既存の婚姻関係、恋愛関係にLGBTQとしてコミットすることを目指」すというのはどのような行為を指しているのか。「既存の婚姻関係」に「LGBTQとしてコミットする」と言えば、現在の婚姻制度の枠組みの中での同性婚の実現に向けた運動ぐらいしか思い浮かばないが、それを指しているのだろうか。「既存の」「恋愛関係」に「LGBTQとしてコミットする」はもっとよくわからない。たとえば男女の恋愛における異性愛規範を同性同士の恋愛のなかでも再生産するといったことなのだろうか。それとも、もっと根本的に、両思いになった際に一般的な「恋愛」としてのお付き合いをすること全般を指しているのだろうか。もっとも、これは「恋愛関係に」「コミットする」ではあっても、「LGBTQとして」ではないような気がするが。

こう考えていくと、「そこから外れることを積極的に肯定するような百合やBLの作品」はいよいよ謎だ。「既存の婚姻関係」から「外れることを積極的に肯定する」も何も、少なくとも同性愛者に限って言えば、日本においてはそもそも「既存の婚姻関係」に与することができない現状があるわけで、この状態でさらにそこから「外れる」ことを描くのはかなり困難だ。登場人物に「もし同性婚が現在の法律内で実現したとしても、私たちは同性婚とは異なる形のパートナーシップを模索していこうね」と言わせるぐらいしか思いつかない。もしくは、その作品中では同性婚が実現しているという設定にしてしまって、「でも私たちはあえて婚姻制度は利用しないことにしよう」という話の展開にするか。私としてはこうした作品が出てきてくれたらむしろ嬉しい気持ちがあるが、このような百合作品がすでにあるかというと、少なくとも私の観測範囲のなかにはない。

「既存の」「恋愛関係」から「外れる」は、先ほど考えたことに則れば、たとえば同性同士の恋愛関係のなかで異性愛規範を再生産しない、といったことになるのだろうか。もっともこれは「外れる」ではあっても、「外れることを積極的に肯定する」とまでは言えない（「再生産しない」であるから消極的な肯定でしかない）ように思うが。それとも、そもそも両想いになっても「恋愛」としてお付き合いするという営みを行わず、何かオルタナティブな関係性を構築していくということだろうか。

前者の「異性愛規範を再生産しない」に当てはまる百合作品はすでにたくさん存在する。というか、女性同士の恋愛的な付き合いの中で片方に「男役」、もう片方に「女役」を割り振り、ジェンダー役割を固定するような表象は、古いにも程がある。しかし、これは表象として古いだけでなく、現実のレズビアンの世界でも古い考え方であり、今では「男役」「女役」を決めて付き合っているカップルのほうが珍しい。見た目上、「ボイ」（男性らしい見た目の人）と「フェム」（女性らしい見た目の人）のカップルだとしても、必ずしも「ボイ」だからといって「男役」、「フェム」だからといって「女役」を担っているわけではない。また、見た目上もフェム同士のカップルやボイ同士のカップルも増えてきている。よって、当事者に「不愉快なものとして受け止められる」とは考えにくい。

後者のそもそも「恋愛」として付き合う道をとらず別様の関係性を模索することに関しては、結果として「恋愛」的なお付き合いの形を取らない百合作品や、そもそもはじめから一般的な「恋愛関係」とは異なる関係性を描いた百合作品はたくさんある。それこそが百合の醍醐味だとも思う。しかし、（「既存の」「恋愛関係」から）「外れることを積極的に肯定する」というからには、字義通りにとれば、一旦既存の「恋愛関係」を措定（そてい）して、そのうえでパートナーシップの形としてあえて「恋愛関係」から外れる、それに乗らないという選択を描くことを意味しているのかなと思う。これは挑戦的で面白いが、このような百合作品にはこれまたあまりお目にかかったことがない。

もし、「外れることを積極的に肯定する」にここまで強い意味がなく、最初に述べたように一般的な「恋愛」とは異なる同性同士の関係性を描くこと全般を指しているのであれば、「既存の」「恋愛関係にＬＧＢＴＱとしてコミットすることを目指している」人が「不愉快なものとして受け止め」るとは考えづらい。同性と「恋愛」的なお付き合いをしたい、そのことを大切にしたいと思っている人であっても、恋愛以外の同性同士の深くて特別で親密な関係性が描かれているのを目にした際に不快になるとは考えづらいからだ（17）。全体的に、当事者をナメすぎではないか。

歴史を抹消しない、当事者を疎外しない「百合」言説へ

以上、この宮澤の発言は、詳しく検討してみても何を言っているのかが結局よくわからず、丁寧に慎重に考えて発された言葉とはとても思えない。そしてそれは、百合を読んだり書いたりしている主体として、当事者のことをほとんど想定していないためであろう。まずそのことに怒りを覚える。さらに、もし、ここで現実のＬＧＢＴＱについて「一応」触れておくことによって、百合やこの記事に対して当事者たちから何かしらの批判が

あった際に免罪符になると思っているのだとすれば、より悪質である。それはこの発言が単なる「言い訳」であることを意味している。そして残念ながらその可能性はかなり高いと思ってしまう。なぜなら、本当に真剣に、百合における同性愛表象と当事者とが時に緊張関係におかれる可能性について考えているのであれば、こんな意味不明な発言には絶対にならないはずだからだ。そしてそれは、この発言が「言い訳」としてすら成立していないことをも示している。そんな言い訳にすらなっていない言い訳を発されるぐらいなら、まったく当事者について触れないほうがまだ潔いとすら思ってしまう。

冒頭でも述べたが、「百合」に決まった定義はないし、人の数だけ異なる「百合」の形があってよいと思う。ただし、百合の出発点が女性、とくに非異性愛の女性による創作活動にあったという歴史、そして今でもたくさんの女性「当事者」が実存を賭けて百合を書き、読んでいることは、忘れてはならないだろう。歴史は抹消されてはならないし、当事者は疎外されてはならない。一部の異性愛男性が、さまざまな倫理的要請から逃れてただただ女性同士のいちゃつきを箱庭に入れて外から眺めたいというなら、それはそれでまあ結構。百合の楽しみ方に決まりはないし、その人にとっての「百合」はそういうものなのでしょう。でも、百合というジャンルに「それしかない」と思われるのは困る。だから、百合について公の場で代表的に語る際には、百合を愛好する女性や当事者の存在をきちんと想定してほしいし、百合の歴史に敬意を払ってほしいのだ。私たちはここに、ずっと前からいる。

註

（1）中村成太郎・梅澤佳奈子・柴田勝家，二〇一九，「〈コミック百合姫〉編集長インタビュウ」『S-Fマガジン』二〇一九年二月号：44．

（2）前掲書，45．

（3）現在の百合の読み手／書き手の男女比については、『百合の研究』という同人誌シリーズを刊行するZZZ.（座頭①）が関心を向けて調査している。ZZZ.（座頭①）『百合の研究vol.2』（https://booth.pm/ja/items/2008251 2017）の「百合イベントの男女比ってどうなってるの？」では、Twitterでのアンケートでは女性が約半分を占めるのに対して同人イベントでは男性の参加者のほうが多いとのデータを示し、ネット上とイベントでの男女比に差異があると結論づけている（p.36）。また、同書の大人百合中心同人即売会「２０Ｌ」主催者の3木へのインタビューのなかで、3木は「一般参加者は、私が見る限りだと男性6：女性4です。サークル参加者は、実際数値がありまして、三七名参加者がいたんですが、その内二四名が女性です」（p.4）と述べている。続編であるZZZ.（座頭①）『百合の研究vol.3』（https://booth.pm/ja/items/1174696 二〇一八）では、コミティア実行委員会の吉田雄平へのインタビューのなかで、聞き手である発行人が「参加者の男女比についてはただ、お昼過ぎになると女性の一般参加者が少し増えるような感覚もあります。作家の方々については、おそらく6：4くらいで女性の方が多いです。以前、コミティア121で現地調査をした時は、一般参加者は男性が多く、作家の方は半々か女性の方が少し多い程度でした。男女比的には、重なるところがあるように思います」と、自身の調査（統計学的に厳密なものではないが）に基づく見解を示している。

（4）「百合」という言葉の来歴に興味がある方には、たとえば以下が参考になる。赤枝香奈子，二〇一〇，「百合」井上章一・斎藤光・澁谷知美・三橋順子編『性的なことば』講談社，277-86．

（5）Kazumi Nagaike, 2010, "The Sexual and Textual Politics of Japanese Lesbian Comics: Reading Romantic and Erotic Yuri Narratives," electronic journal of contemporary japanese studies, (Retrieved April 30, 2020, http://www.japanesestudies.org.uk/articles/2010/Nagaike.html).

（6）それこそバイセクシュアルであることを公言している森奈津子のエロス（とくに同性愛）とお笑いをテーマにした小説群や、レズビアンとしてレズビアンをテーマにした小説を書いてきた中山可穂の作品群は、レズビアン小説とカテゴライズされてもおかしくないものだと思うが、実際には一般的には「百合小説」のスペクトラムのなかに位置づけられることが多かった。また、日本唯一のレズビアン&バイセクシャル専門のエロチック雑誌『Carmilla（カーミラ）』（ポット出版，二〇〇二-二〇〇五）に掲載された漫画作品を集めた『まんがカーミラ GIRL'S ONLY』（ポット出版，二〇〇七）は、百合漫画アンソロジーとしても受容された。近年では、レズビアンであることを公言している中村珍の漫画『羣青』（小学館，二〇一〇-二〇一二）が話題になり、この作品については他の多くの百合作品とは毛色が違うという評価が多かったように思うが、それでも「百合作品」として紹介されることもあった。

（7）もっとも、近年はBL消費者の需要が多様化したことに伴い少し状況が変わってきて、ゲイ漫画作家がBLアンソロジーに参加するようなケースも出てきた。たとえば、ゲイ・エロティック・アーティストとして長年ゲイ漫画・小説を執筆してきた田亀源五郎は、二〇〇〇年代から『肉体派』（オークラ出版 アクアコミックス）や『筋肉男』（光彩書房光彩コミックス）などBLレーベルが刊行する筋肉系アンソロジーに寄稿するようになってきた。

（8）杉浦郁子，二〇一〇，「レズビアンの欲望／主体／排除を不可視にする社会について――現代日本におけるレズビアン差別の特徴と現状」好井裕明編著『差別と排除の〔いま〕第6巻 セクシュアリティの多様性と排除』明石書店，65．

（9）この点について、百合を書く「当事者」たちと話していた時に、自らの恋愛経験を作品に色濃く反映させ、登場人物に筆者自身が言いたい台詞を言わせたりすることも多いと述べた書き手と、逆に百合創作は筆者自身から切り分けて書いているため、自らの恋愛経験を参考にすることはほとんどないと述べた書き手がいた。「当事者」の書き手の中でも、自らの当事者性と百合創作との関係性にまつわるスタンスにはバリエーションがあるのだとはっきりわかり、興味深く感じた。

（10）念のため付記しておくが、これはもちろん、異性愛男性の百合愛好者が全員「女性同士のいちゃつきを外の安全な位置から眺めて『消費』」するような楽しみ方をしているということではない。たとえば、自らの男性性を反省的に捉え、ジェンダーロールやホモソーシャルな世界からの解放を求めて百合を読む異性愛男性もいるだろう。また、異性愛男性であろうが「当事者」の女性であろうが、百合を読む時点で、何かしらの形で女性同性愛に近い表象を「消費」していることには変わりない。ただ、人によっては自らのジェンダーやセクシュアリティについてまったく省みることなく「女性同士のいちゃつきを外の安全な位置から眺め」るタイプの消費をすることもできてしまうというのは、異性愛男性というポジションが持つ特権だと思う。

（11）中里一，二〇〇二，「現代百合の基礎知識　2002年版」，Kaoristics on WWW，（二〇二〇年四月二五日取得，http://kaoriha.org/kisotisiki.htm）．

（12）この『S-Fマガジン』百合特集号自体、百合にもSFにも脈々と受け継がれてきたはずのジェンダーやフェミニズムの視点が欠けていると言わざるを得ない。この点については、『ますく堂なまけもの叢書⑥　平成の終わりに百合を読む　百合SFは吉屋信子の夢を見るか?』(https://booth.pm/ja/items/1693873) の「『SFマガジン百合特集』（二〇一九年二月号）読書会」という座談会に詳しい。座談会のなかで、益岡和朗は、「それはフェミニズムSF特集にしたくはなかったから。そういうのはいいでしょ、もう。おれたちのやっているのは『愉しい百合SF』だからさ、というようなメンタリティがあるような気がする」(p.39) と述べている。それを受けて、近藤銀河は「この特集号を機に開催された『書泉百合ミーティング』に参加した際、この特集の担当をした編集さんに私、質問したんです。『なぜ、海外のフェミニズムSFやレズビアン作品の紹介がなかったり、小谷真理さんのような書き手の寄稿がなかったんですか』と。そうしたら、『いや、フェミニズムとかそういうものと百合はちがうんじゃないかな』とぼそっと言われて、こちらとしては『え?』となったんです」と証言している。

(13) 青柳美帆子・宮澤伊織・いとう，二〇一八，「二〇一八年は『百合の多様性の時代』『裏世界ピクニック』宮澤伊織×『最悪にも程がある』いとうに聞く、激動する百合の現在地」，ねとらぼ，(二〇二〇年四月二三日取得，https://nlab.itmedia.co.jp/nl/articles/1812/04/news040.html).

(14) 石田仁，二〇〇七，「『ほっといてください』という表明をめぐって――やおい/BLの自律性と表象の横奪」『ユリイカ』二〇〇七年一二月臨時増刊号：114-23.

(15) この点に関して、レズビアン・スタディーズの研究者であり自身もレズビアンとしてアクティヴィズムに関わっている堀江有里は、百合における他者表象の問題、「百合」と「レズビアン」の関係を考えようとする際に、やおい/BLにおける他者表象の問題を反転させて援用することは、ジェンダーの非対称性があるために不可能であるという考察をしている。この「ジェンダーの非対称性」は、やおい/BLは客体側におかれてきた女性たちが「主体」となるために、主体側におかれてきた男性同士の関係性を生み出す・読み解く営みだが、百合は客体とされてきた女性同士の関係性をおもに同じく客体とされてきた女性が生み出す・読み解く営みであるという意味だ。しかし堀江はこの百合の営みに、性的指向で分断されてきたレズビアン/非レズビアンがともに女性としての「主体」を回復していく可能性をも見出している。それは「『レズビアン』にこだわってきた人間の、『百合』の解釈共同体のなかにいる女性たちへのラブコール」でもある。堀江は自身が「百合」の解釈共同体の内部にいるわけではないことから「これもまた現実をみていない外部からのファンタジーである」と言うが、内部にいる筆者としては、この可能性の提示を嬉しく思うとともに、これは百合界隈のなかでは実際にすでに行われてきている作業なのではないかとも感じる。私が百合界隈を愛する理由の一つはそこにある。詳しくは以下を参照。堀江有里，二〇一四，「女たちの関係性を表象すること――レズビアンへのまなざしをめぐるノート」『ユリイカ』二〇一四年一二月号：78-86.

(16) もしトランス女性同士の百合物語などを射程に入れた結果だとしても、「既存の婚姻関係、恋愛関係」に「T」として「コミット」はやはりよく意味がわからない。

(17) それとも、同性同士はいまだに「恋愛」関係として社会から認められることが少ないのだから、同性同士の好意を友愛や「巨大感情」といった枠組みに押し込めて矮小化するなと主張したい「LGBTQ」がいるという想定なのだろうか。そういう人がいる可能性は否定しないし、前述したようにレズビアンが「不可視化」されてきた日本の文脈においては重要な問題提起の一つではある。しかし、友愛や「巨大感情」、もしくは百合作品のなかでしばしば描かれる名前をつけることが難しい複雑な感情・関係性を「恋愛」よりも劣位に置くことは恋愛至上主義的で違和感があるし、個人的には好きではない。

積読入門

根井啓

・積読【つん・どく】

積ん読。書籍等を購入したものの、読まずに重ねていくさま。またはその個々の書籍の意。

積み上がった本の背表紙のタイトルから新たなアイデアなどが思い浮かぶ事もある。

なお、基本的にそれらの書籍は「読むつもり」「タイトルに心惹かれた」「装丁が美しくて」など所持したいという欲求のもとに積まれている為、本屋などで新刊本が積み重なっている状態などは積読とは呼ばない。

・積読本【つんどく・ぼん（ほん）】

積読された状態にある書籍を指す。

なお、この積読本がリスト化されている事は稀である。

・積読者【つんどく・しゃ】

積読をする者。積読本が恒常的に存在する者を指す。

積読本の数については二、三冊の者から、床に積読本を敷き詰め、その上で生活する者まで様々である。

・乱積読【らん・つんどく】

本の背表紙側、反対の小口側、単行本、文庫本などを積み重ねる向き、大きさなどを気にする事なく本が積み上がるさま。

積読は多くの場合、背表紙の側を揃えて何が積んであるのかがわかるように積まれる事が多いが、乱積読は背表紙と反対側の小口などでも構わず、積み重ねることで見るものにより積み上がっている感じと雑然としている印象を与える。そのため玄人に好まれる。

しばしば背表紙が見えない状態の本のタイトルを当て、一人悦に入る積読者の存在が確認されている。なお、タイトルを当てるだけで必ずしも読むわけではない。

・並積読【へい・つんどく】

本棚に並べるように本を立てた状態で未読本を並べるさま。

積読は多くの場合、本を横に寝かせた状態でジェンガのように積み重なっていくが、並積読の場合、きちんと整理されているように見える為、綺麗好きな層に好まれる。また同居人に「本なんて増えてないよ」とやり過ごす事ができる事もある。通常の積読に比べるとスペースに対して置ける本の冊数が限られる為、積読初心者に多い。

・色積読【いろ - つんどく】

本を大きさやサイズではなく、背表紙の色で分けて積むさま。

本を色ごとに分けるのみならず、レインボーカラーや緑一色、国旗など様々なアプローチがあり、積読者の好みや嗜好が反映されやすい積読法である。

中でもサイズがほぼ同じ文庫本を並積読と併用して色積読する手法が人気で、本の内容も関係なく、本の背表紙の色だけで本を購入する者もいる。

・言葉積読【ことば - つんどく】

複数の本のタイトルの連なりを重視し積み上げるさま

積読者の中には複数の本のタイトルをしりとりの様に繋げたり、短歌を詠みあげたりする事を好む者がいる。できあがった組み合わせをＳＮＳにアップする積読者も多く、承認欲求強め。

稀に全くの積読者ではない者も存在するが、多くの場合、より良い組み合わせを求めるあまり、本の購入を続け、気づくと積読者となっている事がほとんどである。

なお、大抵の積読者は「積読者になろう」と思ってなるのではなく、気づくと積読者となっていることがほとんどである。

・飾積読【かざり - つんどく】

本の表紙をオブジェやインテリアなどの装飾の様に扱い、壁などに並べておくさま。

本の装丁や表紙絵に心を奪われ、本を飾りとして活用する積読法。常に大事に扱われ、読む事は可能で保持される、多くの場合、積み重ねないし、読まれない。

飾り積読の派生として、謎の洋書や革張りの本などがおしゃれなカフェや本屋のインテリアに使われる事がある。こういった活用の多くは中身が空っぽのダミー本であったり、何かで固められ手に取れないどころか読む事が不可能な状態にされている。本と本屋の敵。

・電脳積読【でんのう - つんどく】

本ではなく、アプリなどを活用して読みたい本を並べるさま。

二一世紀ともなると本を購入せずとも読みたい本などを管理するアプリが存在しており、財布の紐が堅い者、金銭感覚に優れた者がなる事が多い。

本を購入しないので本屋の敵と思われがちだが、そこから本の購入に至る事も多い為、一概にはいえない。ただそういう層はネット経由で本を購入する傾向にあるのでやはり本屋の敵。

中にはそのリストの出来栄えに満足し、そこに終始するものがいる。完全に本屋の敵。

・妄想積読【もうそう・つんどく】

本の存在の有無に関係なく本の事を妄想し続けるさま。

もはや本も必要なく、積むことすらないので本屋の敵と思われがちだが、妄想盛んな者の中から稀有な作家などが誕生する可能性もある為、無下にはできない。と思ったが本を読まない作家は存在しないのでやはり本屋の敵。

・積之不読【つむのふどく】

積読にはまず積んで読むという段階から始まるが、技量が増してくると「積之不読」、つまり「積んで読まず」という段階に到達することがある。

しかしながらこの状態ではまだ積読の名人とは呼べず、「積んでいることすら忘れる」という境地に至ってこそ名人と呼ばれるようになる。

その境地に到達したものは、なんの表情も無い、木偶のごとき愚者の容貌に変わると言われている。

延命するフェアリーテイル ——実写映画『美女と野獣』における女性像

小澤みゆき

1　はじめに

『美女と野獣』について、日本の一般的な読者が連想するのは、一九九一年公開のディズニーによるアニメーション映画、および二〇一七年公開の実写リメイク映画であろう。特にエマ・ワトソンを主演に据えた実写リメイク版は大ヒットを記録し、日本国内でも同年に公開され、国内興行収入が一二四億円を記録し同年の首位となった（1）。

しかし、『美女と野獣』を実写映画化したのはディズニーだけではない。初めて映画化されたのは一九四六年で、監督は稀代の芸術家ジャン・コクトーだった（2）。二〇一四年にはフランス映画として、クリストフ・ガンズ監督による実写映画化がなされている。クリストフ・ガンズ版には、主人公のベル役にレア・セドゥ、野獣役にヴァンサン・カッセルと、現代フランス映画を代表する俳優が起用されている。単なる子ども向け映画に留まらない、芸術性を備えた作品となっている。

他にも、二〇一二年にはマーク・アンドレアス・ボーチャート監督によるドイツでのテレビドラマ化（3）が、二〇一七年には、イタリア人のファブリツィオ・コスタ監督によるイタリア・スペイン合作の同じくテレビドラマ化がなされている（4）。

このように、二〇一〇年代だけでも『美女と野獣』の実写作品は四作も存在している（5）。各作品の細かい設定や演出の差異だけでも大変興味深いのだが（6）、とりわけ筆者が関心を寄せているのが、なぜ一八世紀に一人の女性によって書かれた物語が、これほどまでに何度も形を変えながら多くの人を魅了し続けているのか、という点だ。まるで『美女と野獣』という物語自体が、時代を超えて生き続けるひとつの生命であるかのように感じられるのである。

本稿では、主に二〇一四年のクリストフ・ガンズ版と、二〇一七年のディズニー実写版に焦点を当て、比較検討しつつ、二一世紀においてアップデートされるおとぎ話（フェアリーテイル）のあり方について考察したい。具体的には、主人公であるベルのキャラクター造形と、悪役を支える脇キャラクターについて見ていきたい。

2　原作と映画作品について

2-1　原作のあらすじ

『美女と野獣』の原作は、一八世紀にフランスの作家・ヴィルヌーヴ夫人が執筆した。まずは、このヴィルヌーヴ版のあらすじを整理したい。ヴィルヌーヴ版は、①野獣とベルの一連のあらまし、②王子による語り、③さらに精霊による語りという、三部構成になっている。以下、①のあらすじを記したい。

　フランスのとある街で、主人公・ベルは、商人である父親と、兄弟・姉妹とともに暮らしていた。上の姉たちが浪費家でいじわるな存在であるのに対し、末娘のベルは優しく気立てのよい、美しい女性でもあった。ある日、父親の所有する船が沈んでしまい、一家は突然、破産に追い込まれる。田舎で貧乏暮らしを始める一家。なんとか財産を取り戻そうと街に向かう父親に、ベルは一輪のバラだけをお土産に願う。

　しかし、父親は道に迷い、古城へと迷い込んでしまう。城に咲いていたバラを娘のために摘んだ父親は、突如現れた野獣に捕まってしまう。野獣は父親に対し、娘を身代わりによこせ、さもなければ家族ともども皆殺しにする、と脅しをかけ、父親を家に戻す。その話を聞いたベルは、父親の身代わりとなり、野獣の城で暮らすことを決意する。

　城にやってきたベルに対し、野獣はとても慇懃（いんぎん）に、礼儀正しい態度で接する。豪奢（ごうしゃ）な宮殿のすべてを彼女に与えたのだ。また、ベルの身の回りの世話はサルたちがすべて行った。野獣は一日に一度、夕食後の時間にのみベルの前に現れ、毎回「あなたと一緒に寝てもいいですか」とベルに尋ねる。当然のごとくベルが拒否すると、野獣は「おやすみなさい」とだけ言って去ってゆく。

　また、ベルは毎夜、魅力的な青年と美しい貴婦人の夢を見る。夢の中の青年に惹かれていくベルだが、彼らはベルに「うわべに騙されてはいけない」と告げる。

　何不自由ない生活を続け、野獣に心をひらいていくベルだが、一方で日に日に家族への思いが募り、少しだけで良いから家に帰らせてくれと野獣に懇願する。野獣はその望みを受け入れるが、ベルを失った悲しみで死にかけてしまう。やがて城へ戻ってきたベルは、野獣を懸命に介抱し、愛を告げ、結婚の申し込みを承諾する。そしてふたりは同じ床で眠りにつく。

　ベルが目を醒ますと、となりには夢で見た青年が横たわっていた。青年は、野獣の本当の姿だったのだ。

　そこに突如、女王と名乗る人物と、夢の中の貴婦人が現れる。青年は女王の息子＝王子で、貴婦人は精霊だったのだ。女王は、息子が人間に戻ったことをひどく喜ぶが、その結婚相手であるベルが商人の娘であることを知り、憤慨する。精霊は女王をたしなめ、女王はふたりの身分違いの恋を認める。そして、王子とベルは改めて新郎新婦として、愛情を確かめ合うのであった――。

以上がヴィルヌーヴ版『美女と野獣』の第一部、野獣とベルが出会い、ハッピーエンドを迎えるまでの顛末である。この後、第二部、第三部と続き、野獣と精霊によって、過去に起こった出来事が語られる。様々な人物――ベルとその家族、野獣＝王子、女王、精霊たち――が入り乱れるこの物語は、「複雑で過剰な印象」かつ「万人受けとは言いにくい」と評されている（7）。

このヴィルヌーヴ版を、子ども向けに要約したのがボーモン夫人という人物だ。ヴィルヌーヴ版に教育的要素を加えられたこのバージョンは、広く世界で親しまれるようになった。ヴィルヌーヴ版とボーモン版の具体的な差異は本稿では扱わないが、女王が登場する部分以外はほぼ共通している。

以降、このヴィルヌーヴ版の第一部を「原作」として、後述する映像作品と比較していく。

2-2　コクトー版での改変・脚色

一九四六年のジャン・コクトー監督の映画版（以下、コクトー版と表記）は、原作にほとんど準拠した内容となっているが、一点だけ異なる要素がある。物語を盛り上げる悪役、いわゆる「ヴィラン」の存在だ。原作ではベル、ベルの家族、野獣の三者で主に話が進んでいくが、コクトー版には、新たにアヴナンという青年が登場する。アヴナンは美しい青年で、物語冒頭からベルに結婚をせまる。しかし、父のそばにいたいと願うベルは、アヴナンを愛しながらもその申し出を断り続けていた。

物語終盤、ベルが野獣の城から一旦家族のもとに戻ってくると、アヴナンはベルの兄と共謀し、野獣を殺して城の財宝を奪おうと試みる。しかし、精霊に罰を受け、野獣の姿にされてしまう。また、同時に死にかけていた野獣は、王子の姿に戻る。この、人間に戻った王子は実はアヴナンと同じ顔をしている。このコクトー版が投げかけるテーマについては、本書七八頁で考察したとおりである。

物語を盛り上げるためのヴィランとして追加されたアヴナンというキャラクター。彼は、後の映像作品に大きな影響を与えている。

2-3　ディズニー版での改変・脚色

ディズニーは、原作とコクトー版を受けて、アニメ版および実写映画版でどのような脚色をしていったのだろうか。特に本稿では実写映画版をベースに論じるため、二〇一七年の実写映画版を便宜上「ディズニー版」と呼称したい。ディズニー版では、原作の設定を大幅に改変している。

まず、主人公であるベルは父親と二人暮らしで、とある村の住人のひとりに過ぎない。父親は商人というよりも発明家や職人に近い仕事をしている。ベルは幼い頃に母親を失っているため、かわりに料理や洗濯など、父親を支える家庭内労働に従事している。また本と物語を愛する進歩的な女性でもあり、父親に似た発明家気質も見せている。乗馬したり、閉じ込められた牢屋から果敢にも脱出を試みたり、ディズニーらしい行動的なヒロインに落とし込まれているのも印象的だ（8）。野獣と出会った直後は彼を嫌悪していたが、やがて彼の隠れた知性や優しさに触れ、好意を抱くようになる。

また野獣も、大きくキャラクター改変がなされた。原作の野獣は、ベルに一緒に寝るようストレートに依頼するなど、愚鈍な印象こそあるものの、心は優しく、ベルに対して最初から客人として接する。対するディズニー版では、怒りっぽく、わがままで、自分勝手な存在として描かれている。しかし、物語が進むとともにベル同様、他人を理解し心を開き、徐々にベルへの愛を知るなど、成長してゆく様子を見せる。

その他に、魔法のバラというアイテムがある。時間の経過とともに花びらが散ってゆき、最後の花びらが散るまでに野獣が愛されなければ、王子は永遠に野獣の姿のままである、という魔法がかけられているのだ。

こうした設定の代わりに、原作でベルが青年と精霊の夢を見るくだりはすべてカットされている。ベルと野獣のビルドゥングスロマンとしての側面がより強調されていると言えるだろう。

そしてヴィランとして登場するのが、ガストンという人物である。ガストンは一言でいうと見た目と筋肉だけが取り柄の男性で、自らの美しさと力強さに自惚れている。彼が物語冒頭からベルに求婚し、自分のものにしようとするところは、コクトー版のアヴナンを明らかに踏襲している。ガストンはアヴナンをより発展させたキャラクターで、野獣の恋敵に当たる。クライマックスで、ガストンは野獣と戦いを繰り広げ、死んでゆく。（9）

このようにディズニー版の主だった特色は、ベルと野獣の両者の精神的な成長譚であることと、ガストンというわかりやすい悪が存在すること、だろう。進歩的な女性であるベルが野獣と出会い、お互いに対する理解を深めながら愛し合い、また悪を打ち破るという、わかりやすい演出である。

2-4 フランス版での改変・脚色

対して、クリストフ・ガンズ監督によるフランス版実写映画は、どんな作品だろうか（なお、本来であれば監督名から「クリストフ版」と明記すべきであるが、ディズニー映画＝アメリカ的世界観との差異を明確にするため、本稿ではあえて「フランス版」と記したい）。

本作は、ディズニー版に先んじて二〇一四年に実写映画化された。主だった設定は、ヴィルヌーヴ版原作にかなり忠実なのが特徴だ。ベルは大勢の家族と暮らしている。商人である父親、わがままな二人の姉、そして野心的な兄。姉や兄たちと異なり、ベルは一見おとなしく、心優しい女性である。一家が財産を失い、人里離れた村でつつましく暮らし始めると、ベルは積極的に家事に従事するようになる。おそらく以前の贅沢な暮らしでは召使いがいたのであろうに、ベルは楽しそうに家事をこなす。文句ばかり言う姉たちにも積極的に家事をするように促すし、父親には、以前よりも家族が一緒になれて嬉しいと述べる。清貧とも呼べる身なりで、生き生きと畑仕事をするベルの姿が強調されるのが、フランス版の前半の特徴だ。

また、野獣が夕食時にのみ姿を見せ、ベルに結婚をせまるというあらましも、原作に準拠している。しかし、原作と異なるのは、ディズニー版と同じように野獣がベルに対して当初は乱暴な態度を見せることだ。ベルが毅然とした態度を取ると、野獣は暴れ、部屋に戻っていく。

また、ベルが眠るたびに不思議な夢を見るのも、原作を踏襲している。

このフランス版には注目すべき点が三点ある。

一点目は、王子がなぜ野獣になったか、というプロセスが重点的に描かれているところだ。王子にはかつて妻がおり、その正体は、実は牝鹿が、自然の〈神〉の力によって人間になった姿であった。愛とは何かを知るために人間になった牝鹿＝プリンセスは、王子を愛しつつも、彼の性格を悩ましく思っていた。王子は狩りが趣味だったのだ。

ある日、森の中で、牝鹿の姿に戻っていた彼女を、王子はそれとは知らず仕留めてしまう。愛するプリンセスを自分の手で殺めてしまった王子は、〈神〉の罰を受け野獣の姿になってしまう。ベルが夜毎見るのは、亡きプリンセスとの邂逅の夢なのである。

プリンセスは、王子の呪いを解くのはベルであると確信し、自分と王子との過去の記憶を夢の中でベルに見せる。結果として、ベルは王子の痛ましい過去を知る。野獣に同情し、傷ついた彼を癒やして、人間に戻す。クリストフ監督は、このストーリーはギリシャ・ローマ神話に着想を得た創作であるとメイキングで述べている。

二点目は、物語を貫く自然信仰である。まず前述の通り、映画には自然の〈神〉という存在がある。キリスト教な価値観とは異なる〈神〉の力によって、王子は野獣に、牝鹿はプリンセスに姿を変える。その〈神〉の姿は、作中では嵐のような形で表され、直接見ることはできない。原作やディズニー版では、具体的なヒトの形を伴って精霊や魔女が出てくるのに対して、この〈神〉は言葉を発することがない。

また、野獣の城にたどり着くには、棘だらけの草が生い茂る中を通っていかなければならないし、物語終盤では、城の庭の地中から巨大な岩ができた、『もののけ姫』のデイダラボッチのような巨人が登場する。こうした演出について、クリストフ監督は日本のポップカルチャーからの影響を認めている。特に『ＡＫＩＲＡ』や宮崎駿作品、ゴジラシリーズといった映画から、前述のような構想を得たと明言している。

三点目は、この物語のヴィランについてである。本作には、アヴナンやガストンのような、野獣の恋敵となる人物は登場しない。代わりに、ペルデュカスという怪しげな男性が悪役として出てくる。

ベルの兄・マキシムは、いかがわしい酒場に出入りし、ペルデュカスに多くの借金をしていた。そのためマキシムはお尋ね者としてペルデュカスに追われていた。映画後半では、マキシムとペルデュカスは野獣の城に乗り込み財宝を奪い取ろうとする。しかし、ペルデュカスは最終的に〈神〉の怒りを買い、命を落とす。

また、もうひとりのヴィランとして、ペルデュカスのパートナー・アストリッドの存在がある。アストリッドについては次章で詳しく述べるが、彼女の職業はタロット占い師だ。物語序盤、アストリッドは占いの不吉な結果から、ペルデュカスの行動に釘を刺す場面がある。しかし、傲慢なペルデュカスは聞く耳を持たない。この結果、アストリッドはペルデュカスとともに最終的に命を落としてしまう。

このように、フランス版はディズニー版と比べ、より複雑な構造を持つ。ヴィルヌーヴ版に準拠しつつも、深いバックストーリーと人間模様が描かれていると言えるであろう。

3「家庭の天使」としてのベル——ヴァージニア・ウルフの職業論より

> 家庭の天使はとても同情深いのです。とても魅力的です。自己中心的なところが少しもありません。家庭生活を営む上での難しい技に熟達しています。日々、自己犠牲をいといません。（中略）要するに、自分自身の意見とか願望をもたず、いつも他の人びとの意見や願望にそって考えようとする性質なのです。
>
> ヴァージニア・ウルフ『女性にとっての職業』(10)

筆者は、ディズニー版・フランス版ともに、ベルには部分的に「家庭の天使」的な側面があると考えている。両方とも、母親が不在の家庭の中で、彼女らは懸命に家庭のために尽くしている。

まず、物語冒頭でのベルのキャラクター設定に着目したい。ディズニー版のベルは、本好きで広い世界を夢見る女性である。オープニング曲「朝の風景（Belle）」では、彼女が家から市場へ出かけ、本を貸し借りする場面が強調される。しかし、村の住人には変人（a funny girl）扱いされている。この「本好きで、周りと馴染めない」という設定は、ディズニーが追加した演出のなかでも重要なものだ。

また彼女は、発明家の父の才能を受け継いでいる。村の女達は洗濯場で手を使って洗い物をしているのに対し、ベルは洗濯場で馬を歩かせることで作業を自動化する（＝洗濯機の発明）。その浮いた時間で本を読む。進歩的な女性の姿だ。

しかし、ベルの日々の仕事はあくまで家事労働だ。そもそも、洗濯をするのも市場でパンを買うのも、父親との生活のためである。父を支えることが彼女の仕事であり、結婚する意志もない。

フランス版のベルも、家事労働に従事する女性だ。一家が財産を失い、田舎の家に引っ越すと、ベルは生き生きと家事をこなす。畑を耕し、洗濯をし、文句を言う姉たちにも働くよう促す。

次に、物語の結末について見ていきたい。

ディズニー版では、ハッピーエンドを迎えたあとのベルには、城でプリンセスとして暮らす未来が待っている。実写版では、この後のベルの人生は描かれないが、実はアニメ版では少しだけそれを見ることができる。スピンオフとして制作された『美女と野獣　ベルの素敵なプレゼント』のラストシーンでは、人間に戻った王子とベルが、村の人々や使用人とともに、幸福なクリスマスを迎えているのだ。

対してフランス版のベルは対象的だ。王子はベルと結ばれたあと、王子の身分を棄て、バラ園の農主になる。ラストシーン、子どもたちを寝かしつけたベルは家を出て、農園にいる夫のもとへと向かい、二人は抱き合って、物語は幕を閉じる。歌うことも踊ることもしない。この結末はディズニー的ハッピーエンドのアンチテーゼとも取れて興味深いところだ。

こうした差異があるふたりのベルだが、共通している部分がある。それは野獣への態度である。どちらのベルも、最初の出会いで野獣に驚きはするものの、毅然（きぜん）とした態度で接している。ベルが野獣に憤慨するのは、そのルックス＝恐ろしい見た目のためではなく、利己的で無愛想な態度に対してである。フランス版ベルに至っては、実家に一時的に帰ることを嘆願する代わりに、野獣とのダンスを提案するなど、駆け引きまで行う。

コクトー版は、単純に野獣の見た目の恐ろしさを強調していたにすぎないが、ディズニー版・フランス版は、外見だけで物事を判断しない、勇気ある女性としてベルを捉えている。

彼女たちは、ウルフの指摘そのままのように自分自身の意見や願望をもっていないわけでは全くない。特にディズニー版のベルは狭い村から、広い世界を冒険することを夢見ている。しかし実態として、彼女たちは父親や夫（元野獣）への無償のケア労働から抜け出せていないように見受けられる。（ディズニー版に至っては、「物語後」のベルは、お城の使用人に労働を「外注」していると考えられるため、これからすべきことはプリンセスでいること――城で王子や使用人たちと仲良く暮らすこと――以外、何もないといえる）。

ディズニー版・フランス版のベルはどちらも、家事を通して家族と繋がることに幸せを覚え、無償のケア労働に従事しているという点において、「家庭の天使」像を内面化していると言えはしないだろうか。

4　第二のヒロイン

次に、ヒロインではなく脇キャラクターについて考えたい。フランス版に登場する女性・アストリッドである。前述の通り彼女は悪役・ペルデュカスの恋人、兼、タロット占い師である。彼女は酒場で、ペルデュカスと、その取り巻きの男たちと行動をともにしている。

彼女は登場シーンで、ペルデュカスの未来を占いながら、「過去に負った傷も私が予言したでしょう」と述べる。このシーンで、アストリッドはペルデュカスに単に依存する恋人なのではなく、彼と対等な立場の関係であることが示唆される。そして大勢の取り巻きの男たちがおり、ペルデュカスとアストリッドを中心としたコミュニティが形成されていることもわかる。

このように物語序盤では、悪役ペルデュカスのパートナーとして描かれていたアストリッドだが、物語が進むにつれ、ベル／野獣側でも、ペルデュカス＝ヴィラン側でもない、中間的な存在に移行していく。

注目したいのは、野獣の城に乗り込んでから、アストリッドが精霊に導かれて「黄金の矢」を手に入れるシーンだ。「黄金の矢」は、ストーリーの鍵となる重要なアイテムである。精霊は、城にやってきたアストリッドに対し、矢を取るようにこう促す。

聖なるアストリッド／大いなる恐怖と血／全力で恋人を守って／逃げなさい／そうすべきよ／忠誠を誓って／そうしないと永遠に苦しむ／黄金の矢を取って／アストリッド／おいで／恋人を救って／黄金の矢を取りなさい

ここで疑問なのは、矢を手にするのはなぜベルではないのか、ということだ。悪党が乗り込んできたときに、精霊に導かれて矢を手にし、それを用いて恋人を救おうとする——これは本来はヒロイン・ベルの仕事ではないだろうか。しかし、実際に矢を引き抜くのはアストリッドなのである。アストリッドはペルデュカスを救いたい一心で、黄金の矢を彼に渡し、野獣の城から出ていくべきだと主張する。二人の会話は以下の通りである。

ペルデュカス：俺から離れるな。どこにいた？
アストリッド：今すぐ発つべきよ。信じてくれる？（黄金の矢を差し出す）
ペルデュカス：黄金か
アストリッド：この矢には無限の力が——大金持ちになれる。皆から尊敬されるわ。これで無敵よ。わかる？　捜し求めてた物が見つかったの
（ペルデュカス、アストリッドの首を絞め、崖から突き落とそうとする）
ペルデュカス：後から戻って宝を横取りする気だろ
アストリッド：信じないのならせめてカードの予言を
ペルデュカス：何が出た？
アストリッド：〝死神〟よ
ペルデュカス：お前のか？　俺のか？
アストリッド：どっちがいい？

ペルデュカス：どっちもご免だ。確信がないなら死ぬのはあいつだ。あの青二才が今夜死ぬ

青二才、というのは借金をしているベルの兄・マキシムを指す。さてこの会話で、アストリッドとペルデュカスは決裂したかのように見える。なにせアストリッドは、自らのタロットカードの予言を信じてもらえなかった挙げ句、首を締められ、殺されそうになるのである。しかしそれでも、アストリッドはペルデュカスのもとを離れない。野獣の城から財宝を盗み出してきた財宝を彼女に見せ、ペルデュカスは語る。

（ペルデュカス、笑顔で）
ペルデュカス：ついに大金持ちだ。なんでも願いを叶えてやる
アストリッド：一緒に死ぬ？
ペルデュカス：もうカードには頼らん。俺が決める

そしてその後、城を守ろうと地中から現れた巨人たちの身体が崩れ始め、岩雪崩が起きる。それに潰されそうになったアストリッドは、「見捨てないで」と最後にペルデュカスに懇願するが、ペルデュカスは非情にも彼女を見捨てて逃げて行ってしまう。そして「あなたの運命は最悪よ」とつぶやき、アストリッドは死んでゆく。またその直後、ペルデュカスも命を落とす。

アストリッドが救われる道はあったのだろうか？　なぜ彼女は再三、ペルデュカスに忠告していたのにも関わらず、死に至らなければならなかったのだろうか？　ここでペルデュカスとアストリッドの関係は、真実の愛を貫いた野獣とベルの関係と対比される。

つまりアストリッドは第二のヒロインであったかもしれないのだ。この関係は、現に、黄金の矢を引き抜く時、精霊がアストリッドに、「聖なるアストリッド」と呼びかけることからも分かる。アストリッドは純粋な悪ではなかった。しかし、ベルは生き残り、アストリッドは死んでしまった。

言ってしまえばペルデュカスはダメ男であり、アストリッドは彼に振り回されて破滅する女とも言える。しかし、何度もペルデュカスを救おうとしたアストリッドが死んでしまうという結末は、あまりにも悲しくはないか。二人の女性同士が、ベルとアストリッドが共存する道はなかったのだろうか？

5　ヴィランの腰巾着は愛の夢を見るか

ここで、再びディズニー版に立ち返りたい。ディズニー版のヴィラン、ガストンの脇にもキャラクターが存在する。小太りの男・ル＝フウ（愚か者、の意）である。

アニメ版ではガストンのただの腰巾着で、頭の悪い、脇役に過ぎなかっ

た男だ。しかし実写版ではより存在感が増して、おそらくは同性愛者であり、ガストンに憧れているという設定が追加された。（実際にはそれはほのめかされる程度で、明言されることはない）。賛否両論を呼んだこの設定だが、ガストンとル＝フウの関係が単なる従属関係ではなくなったという意味で、素晴らしい改変だったと筆者は考えている。

ル＝フウがガストンに惹かれているさまは、序盤からセリフや歌を通して度々描かれる。しかし、物語が進み、ガストンの横暴さが増していくと、次第にル＝フウは彼に疑念を呈するようになる。そして最後、野獣の城に乗り込んで攻撃を受けた時、ガストンに助けを求めるが、彼に見捨てられてしまう。そこでやっと「何が正しいのか」に気づいたル＝フウは、城の住人たちの方に加担する。ヴィランから正義の側へと移行し「いい人」になるのである。そして、ラストのダンスシーンで、村の男性とペアを組んで踊る。

アストリッドとル＝フウはヴィランの脇にいるパートナーという意味では似通っている。ラストの運命が真反対であることを除いては、ほぼ同じ役割の存在である。

しかし、ベルと野獣の〈真実の愛〉を完全なるファンタジーと捉えた時、ヴィランはリアルな人の醜悪さを反映していると言えはしないだろうか。自惚れ、強欲。誰の心にもガストンやペルデュカスは存在しうる。その隣にいるパートナー（＝「腰巾着」）の苦悩やためらいを、現代の視聴者はどのように受け止めればよいのだろう。

ここで文学における愛と苦悩について、アメリカの批評家のスーザン・ソンタグを参照したい。彼女は、イタリアの作家チェーザレ・パヴェーゼの日記に言及しながら、キリスト教精神の延長としての今日の西欧の恋愛崇拝は、苦悩崇拝の一つの側面であると論じている。

今日の真面目な文学や映画の支配的なテーマは、愛の破綻である。（これと逆の愛の叙述にぶつかるとき、われわれは、たとえば『チャタレー卿夫人の恋人』とかルイ・マルの映画『恋人たち』〔一九五八〕などの場合、〈おとぎ話〉と呼びたがる。）恋は死ぬ、恋の誕生がまちがいだったのだから。とはいえ、このまちがいは必然のまちがいである。パヴェーゼの言葉をつかえば、ひとがこの世を〈私利のジャングル〉として見るかぎりは。孤立した自我は受苦することを止められない。《生存は苦痛だ。恋の享受は麻酔だ。》

スーザン・ソンタグ「模範的苦悩者としての芸術家」(11)

このようにソンタグにとって西欧的な愛とは、「まちがい」や「苦痛」と切り離せないものである。

改めて映画『美女と野獣』を、ベル／野獣と、ヴィラン／そのパートナーの二つの恋愛を内包した物語と捉えた時、ソンタグのいう〈孤立した自我〉をもち、〈恋の破綻〉を経験するのは間違いなく後者の人物たちだ。はじめから破綻した、報われない恋に身を投じる彼・彼女は、ヒロインであるベルよりも現代的で、現代の鑑賞者に近い存在と位置づけることができるだろう。

ディズニー版、フランス版ともに画期的なのは、アストリッドもル＝フウも、ヴィランの持つ本質的な悪に気づき、それと対峙しようとするところにある。しかしル＝フウは新しい自分を見つけて生き直すことができたのに対し、アストリッドは無残にも死んでしまった。この違いを、筆者は単なる「お国柄」の違い、演出的意図の相違であると、一言で説明することができない。

先のソンタグの議論を踏まえて、この違いから導き出せる問いはこうだ。「ヴィランの『腰巾着』は破綻した愛からいかに脱出すべきか」。アストリッドを生き延びさせるには、どうすればよかったのか？　彼女は苦痛の果ての破滅に進み、死んでいったが、その死には意味があったのだろうか。愛の破滅から彼女を救うことはできなかったのだろうか？

つまり、ヒロインであるベルと、物語の脇で苦悩するもうひとりのヒロインが手を取り合い、ともに「悪」と対峙するような、そんなプロットもありえたのではないかと筆者は考えている。アストリッドは最後、ペルデュカスという「まちがい」を克服し、ベルと共闘する――そんな連帯（シスターフッド）の物語であってもよかったのではないか。そんな結末を、フランス版『美女と野獣』を観直すたびに夢想してしまうのだ。

6　フェアリーテイルのこれから

『美女と野獣』というおとぎ話（フェアリーテイル）が時を超えて受け入れられ続けている大きな理由に、ベルと野獣の美しい愛があることは確かだろう。読者／観客は、ベルと野獣の心の交流を通して、「見た目にとらわれず、物事の本質を見抜くこと」というメッセージを受け取る。これはいわば、おとぎ話がもつ希望である。

しかし、誰もがベルのようなプリンセスになれるわけではない。フィクションであるからこそ、多くの人を魅了するのであって、裏返せば現実には起こり得ない出来事を夢見ているに過ぎない。その意味で、おとぎ話はすなわち絶望である。ここには激しい断絶がある。

ディズニーは昨今、過去のアニメーション作品の実写リメイクを進めている。『美女と野獣』もそうした流れの中で制作された。過去に童話や伝承として親しまれた物語を、アニメーション、そして実写映画と形を変えて我々の前に提示し続けている。またディズニー以外にも、童話やおとぎ話、少女小説を下敷きにした映像作品は数多く存在する。日本で言えば、高畑勲監督作『かぐや姫の物語』があるし、海外では『アルプスの少女ハイジ』『赤毛のアン』といった作品も実写リメイクがなされた。

数十年／数百年前の物語をどのようにアップデートして、生き延びさせるか。つまり、いかに「延命」処置を施すべきか。おとぎ話がこれからも愛され続けるために、できることは何だろうか。その方向性の一つとして、フェミニズムやシスターフッドの流れもあるだろう。古びないメッセージを掲げつつ、いかに現代の物語として語り継いでゆくべきか——『美女と野獣』という作品には、その「延命」に耐えうる強度があるのだと、筆者は信じ、筆を置きたいと思う。

註

（1）一般社団法人日本映画製作者連盟 過去興行収入上位作品 二〇一七年 http://www.eiren.org/toukei/img/eiren_kosyu/data_2017.pdf

（2）コクトー版は、もちろん技術的には古いのだが、詩や小説などに加え演劇も手掛けていた、コクトーならではの工夫で「魔法」を表現しているところが見どころだ。野獣の城のセットでは、壁や柱の中に黒塗りの人間が入っていて、燭台が動いたり扉が開いたりと、あたかもモノが勝手に動いているように演出されている。ディズニー実写版でオマージュされている箇所もある。アマゾンプライムビデオで視聴可能。（https://www.amazon.co.jp/gp/video/detail/B07QHYDLVX 二〇二〇年五月一一日アクセス）

（3）ドイツのドラマ版は低予算なのかチープな作りで、コメディ色も強い。魔法のバランスの設定など、ディズニーアニメ版の影響が感じられる箇所もある。また舞台がドイツになったことでいくつか設定が書き換わっている。ヒロインの名前もはベルではなく「エルザ」とドイツ風に変わっているし、貧乏な村の娘であるため文字が読めないという設定になっている。野獣は物語をエルザに読み聞かせ、そのことをきっかけに二人は距離を縮めていくという場面がある。アマゾンプライムビデオで視聴可能。（https://www.amazon.co.jp/gp/video/detail/B07KPLG92N 二〇二〇年五月一一日アクセス）

（4）イタリア・スペイン合作ドラマ版は、ヴィルヌーヴ版原作とは設定がかなり異なり、二〇一〇年代の実写化作品の中でもとりわけ独自色が強い。前提として、魔法や精霊は存在しないし、野獣も普通の人間で、火事で顔に傷を負い醜くなった大公という設定だ。大公の城にはベル以外にも女性が住んでおり、彼を中心に恋の駆け引きが展開される。おとぎ話というよりも、大人向けのサスペンス風ラブストーリーで、原作をベースにした二次創作的な色合いが強い。本作は連続テレビシリーズとして制作されたが、日本では二時間の映像作品に再編集されたものをアマゾンプライムビデオで視聴することができる。（https://www.amazon.co.jp/gp/video/detail/B07P1B3W9N 二〇二〇年五月一一日アクセス）

（5）ほかにも『美女と野獣（*Beauty and the Beast*）』の実写版は数多く存在している。ウェブサイト「ＩＭＤｂ（インターネット・ムービー・データベース）」によれば、アメリカＣＢＳテレビによるドラマシリーズ版（一九八七年 - 一九九〇年）、アメリカ・イスラエル合作のミュージカル映画版（一九八七年）、舞台をバイキングの時代に置き換えたイギリス映画版（二〇〇五年）、レバノンの実写映画版（二〇一〇年）などが存在する。またヴィルヌーヴ版を直接原作としているわけではないが、『美女と野獣』と名のついた映画やテレビドラマは多数存在する。

（6）本稿で取り上げている二〇一〇年代の実写化作品は、設定やプロットはそれぞれ異なるものの、共通している要素として「ベルと野獣のダンスシーン」がある。作品によってそのシチュエーションは異なるが、いずれもベルと野獣が心を通わせる「お約束」の場面として演出されている。これはコクトー版には見られない演出で、一九九一年のディズニー・アニメ版が与えた影響の大きさをうかがい知ることができる。

（7）『美女と野獣［オリジナル版］』、一〇四、一〇五頁、ガブリエル＝シュザンヌ・ド・ヴィルヌーヴ、藤原真美訳、白水社

（8）『美女と野獣』ディズニーアニメ版の映像特典に収録されている当初のストーリーボードを見ると、制作当初はより原作に寄せた内容になっていたことが伺える。意地悪な姉の代わりにおばが登場するほか、ベルにしつこく結婚をせまるヴィラン・ガストンは貴族の青年という設定である。

（9）やや脱線するが、ガストンというキャラクターについて少し掘り下げたい。筆者は、ディズニーはガストンに、映画では描ききれなかったバックストーリーを用意していたのではないかと考えている。それは、ガストンは（おそらくは）フランス革命と思われる戦いから帰還した英雄である、というものだ。その理由は二つある。

まずに、物語冒頭で、彼はベルを欲しがる理由として「戦争が終わった後、何かが足りないと感じている」からだと発言する。しかし物語中では、これが一体何の戦争であったかは語られていない。

次に、物語中盤、村の酒場を舞台に披露される「強いぞ、ガストン」というミュージカル曲での演出がある。この曲では、ガストンは剣を持ってチャンバラを繰り広げ、そのマッチョなキャラクターを視聴者に印象づける。酒場には、ナポレオンを思わせる画が飾られており、曲の最後でガストンがポーズを決めた時、画とガストンの姿が重なる構図になる。

さらに、これは筆者の憶測だが、仮にガストン（ヴィラン）が野獣（王子）と鏡像関係にあるとするならば、ガストンもまた精神的に変化を遂げた人間なのではなかろうか——しかも悪から善に変わる野獣とは逆に、善なる心が悪に変わってしまったのではないか——ということが考えられる。つまり、ガストンは元来心優しい青年であったが、戦争により性格が変わってしまった（病んでしまった?）のではないか、という推論である。しかし作中にガストンに関する情報は少ないため、これらはやはり推測の域を出ないであろう。

（10）『女性にとっての職業』三頁、ヴァージニア・ウルフ、出淵敬子・川本静子監訳、みすず書房

（11）「模範的苦悩者としての芸術家」（『反解釈』収録、八三頁）、スーザン・ソンタグ、高橋康也訳、ちくま学芸文庫

【参考文献】

・『戦う姫、働く少女』河野真太郎、堀之内出版
・『お砂糖とスパイスと爆発的な何か』北村紗衣、書肆侃侃房

花大猫（はな・おおねこ）
オンライン文芸誌破滅派の同人。破滅派より電子書籍「三つの琵琶の物語」「メビウスの福袋　回文作品集」。趣味は回文作り。大相撲観戦。

英千春（はなぶさ・ちはる）
文化服装学園卒
服飾会社勤務

榛名こな（はるな・こな）
1993年生。ZINE制作や随筆執筆、たまに書店業。最近、編集の職を失って主婦業に専念している。
Twitter：@conamonx

永山源（ながやま・みなと）
1993年生。元「外大短歌」、現在無所属。好きな歌人は安永蕗子。

根井啓
1979年東京都生。親が転勤族だった為、故郷が多い。メーカー10年、ベンチャー2年の勤務を経て2017年10月より早稲田にカフェスペースのある本と雑貨のお店NENOiを開店。

枇谷玲子（ひだに・れいこ）
北欧語書籍翻訳者。訳書に『キュッパのはくぶつかん』（福音館書店）、『鈍感な世界に生きる敏感な人たち』（ディスカヴァー・トゥエンティワン）など。

松本友也（まつもと・ともや）
1992年生。〈Rhetorica〉企画・執筆。
連載に「K-POPから始まる『物語』」（CINRA）、「韓国ポップカルチャー彷徨」（KAI-YOU Premium）など。

水原涼（みずはら・りょう）
1989年生、小説家。著書『蹴爪』（講談社）、『震える虹彩』（安田和弘との共著、私家版）。

宮城すみれ（みやぎ・すみれ）
低賃金労働者。既婚。

雪田倫代（ゆきた・ともよ）
文筆家。1984年生。
奄美大島在住。
Twitter：@shimaotoshio

李琴峰（り・ことみ）
作家、日中翻訳家、群像新人文学賞優秀作でデビュー、芥川賞、野間文芸新人賞候補。著書『独り舞』『五つ数えれば三日月が』『ポラリスが降り注ぐ夜』など。

レロ／中村香住（れろ／なかむら・かすみ）
ノンシャイニーレズビアンヲタク社会学研究者。現在は第三波フェミニズムの観点からメイドカフェにおける女性の労働経験について研究。ヲタクなセクシュアルマイノリティの居場所作りにも取り組む。共著に『私たちの「働く姫、戦う少女」』（堀之内出版）、『ふれる社会学』（北樹出版）など。女性声優とテーマパークと百合が好き。
Twitter：@rero70

著者一覧

甘木零（あまき・こぼる）
・ゲンロン大森望SF創作講座2〜4期受講生
・SF文芸同人誌「Sci-Fire」同人

imdkm（いみぢくも）
ライター、批評家。現代のポップミュージックを中心にいろいろとものを書いている。著書に『リズムから考えるJ-POP史』（blueprint、2019年）。

太田知也（おおた・ともや）
1992年生。小説執筆やデザインなど。批評とメディアのプロジェクト〈Rhetorica〉、およびデザインとリサーチのユニット〈design alternatives〉にて活動中。ゲンロン大森望SF創作講座1期生。最近はノベルゲームを鋭意制作中。（詳細は本誌23ページの広告にて！）

小澤みゆき（おざわ・みゆき）
1988年生。ライター・編集者。文芸プロジェクト「海響舎」主宰。編著『かわいいウルフ』『海響0号　情報技術』。

木花なおこ（きはな・なおこ）
1963年生。文芸創作が好きです。現在詩作を勉強中。薬屋とジャズ喫茶でも働いています。
メールアドレス　ynck1846@gmail.com

櫻木みわ（さくらき・みわ）
作家。著書『うつくしい繭』（講談社）。ゲンロン大森望SF創作講座1期生。

汐入憂希（しおいり・ゆうき）
1989年生。神奈川県出身、東京都台東区在住。会社員。

十三人の恋するひとたち
特集「大恋愛」にあたり、13名の方々に匿名エッセイの執筆をお願いした。

神野龍一（じんの・りゅういち）
1985年生。ミニコミ誌「関西ソーカル」主宰。文章を書く合間に多くの人が自粛をしている中GW中に仕事を7連勤入れられる生活をしている。

谷田七重（たにだ・ななえ）
1984年生、愛媛県出身。学習院大学文学部哲学科を卒業後、小説を書き始める。株式会社破滅派より電子書籍の短編集「ワンルーム・ミラージュ」発売中。

tekitoeditor（てきとーえでぃたー）
元編集者のエンジニア見習い。プライベートではだいたいマンガを読むかNetflixを観るかの二択。
Twitter：@tekitoeditor

編集後記

矢野顕子の「The Girls of Integrity」（一九八六年）という曲に、こんな歌詞がある。「明日は巨大な雨に濡れる街を凝視する／ほしいものはなにもない／けどここにないものがほしい／本当にほしい」飛躍があると思われるかもしれないが、私にとって大恋愛はおおよそこのようなものだ。すなわち何かを手に入れたいと手をのばす行為そのものに意味があり、「ほしいもの」が何かはさほど重要でない。そして欲することは本質的に尊い。

愛と呼ばれるものが何か、生まれたときから知っているようでもあるし、永遠に知り得ないような気もする。けれど、私たちがそれを欲望する時、世界は一瞬にして変わってしまう。人が愛を欲し、掴み取ろうとする時のたましいの動き、その高潔さ（Integrity）のようなもの――を、この本を通して拾い集めることが、少しはできたかな、と考えている。

読者の方、寄稿者の方、関わってくださったすべての方に、心からの感謝を申し上げます。ありがとうございました。

小澤みゆき

海響 一号　大恋愛

発行日	2020年6月20日　初版第1刷
企画・編集・DTP	小澤みゆき
装画	英千春
印刷・製本	日光企画
発行人	小澤みゆき
発行所	海響舎
	info@kaikyosha.net
	https://kaikyosha.net/
技術協力	ぱいな情報開発
Special Thanks	石井雅巳、太田知也、垣貫城二、佐藤泰介、戸田恵一、根井啓、松井祐輔、水原涼、吉岡泉美